いつでもどこでも心電図判読 88 +11問

増訂版

上嶋健治

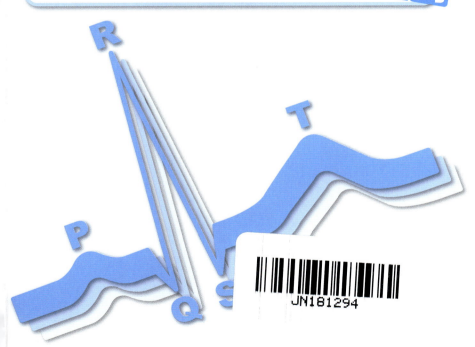

克誠堂出版

《著者略歴》

上 嶋 健 治（うえしまけんじ）

昭和 55 年	和歌山県立医科大学 卒業
昭和 59 年	和歌山県立医科大学 大学院博士課程 内科学（循環器）修了
	国立循環器病センター 心臓内科 レジデント・医師
平成元年	和歌山県立医科大学 内科学（循環器学講座）助手
	（平成 2～3 年 米国 ロングビーチ退役軍人病院 循環器研究室 留学）
平成 5 年	岩手医科大学 内科学第二講座 講師
平成 9 年	岩手医科大学 内科学第二講座・循環器医療センター 助教授
平成 18 年	京都大学大学院医学研究科 EBM 研究センター 准教授
平成 22 年	京都大学大学院医学研究科 EBM 研究センター 教授
平成 25 年	京都大学医学部附属病院 臨床研究総合センター EBM 推進部 教授
平成 30 年	京都大学医学部附属病院 相談支援センター センター長
	現在に至る

《主な活動分野》

EBM 研究：循環器疾患、腎臓疾患、生活習慣病領域の臨床試験
循環器研究：運動心臓病学、心臓リハビリテーション

増補改訂版の序文に代えて

　2017年に色々なご縁の中で、従来の医学書とは一線を画した「気軽に読める医学書」というコンセプトの元に『スキ間で極意!!　いつでもどこでも心電図判読88問』(『問題編1』)を上梓致しました。その後、心電図判読の基本的な知識を習得する教科書として、『スキ間で極意・学習編!!　心電図プロの見方が面白いほど見える本』の執筆機会も頂きました。さらに、複数の心電図所見を見落としなく確認し、その臨床的意義にまで思いを馳せられる問題集をとの思いから、『スキ間で極意・問題編2!!　所見(こたえ)は1つとは限らない！　複数所見の心電図33問』を出版することもできました。いずれも、堅苦しいイメージを払拭したユニークな医学書と一定の評価を頂いています。有難うございました。

　さすがにこれで心電図関連の執筆も一段落かと思っていたところ、『問題編1』と『問題編2』の橋渡しになる書籍も必要でしょうとお話を頂きました。幸いなことに『問題編1』が好評で、早くも在庫僅少とのことでしたので、そこに複数所見の心電図をチャレンジ問題として11問追加し、索引追加などの改訂をした、本書『スキ間で極意!!　いつでもどこでも心電図判読88＋11問[増訂版]』にその役割を託すことと致しました。

　今回も、チャレンジ問題には、京都下鴨病院の山下文治先生、武田病院健診センターの桝田出先生、JA広島総合病院の藤井隆先生から心電図をご提供頂きました。克誠堂出版編集部の吉原成紀さんには立派な構成にして頂きました。この場をお借りして厚く御礼申し上げます。

　多くの心電図を基本に忠実に判読することがスキルアップの王道かと思っています。心電図の判読に携わる方々にとって、本書が「王道を歩く」際の道案内になればこの上ない喜びです。宜しくお願い申し上げます。

　　　2020年6月　COVID-19の先行きが見通せない京都にて

　　　　　　　　　　　　　　　　　　　　　　　　　　上嶋健治

序文に代えて

　心電図に関する書籍には色々な形式の多くの優れた著作がある中、浅学菲才も顧みず、2016 年 4 月に『ビギナーのための心電図便利帳：エキスパートも使える完全マスターへの一冊』(最新医学社)という拙著を上梓する機会を頂きました。すると、6 月に克誠堂出版の関貴子さんからお電話を頂き、心電図関連の書籍の出版計画があるので相談に乗って欲しいとのことでした。関さんは、恩師である平盛勝彦先生が岩手医科大学在職中の 1997 年に第 24 回日本集中治療医学会学術集会を務められ、著者が事務局長を仰せつかったときに、学会本部の事務を担当されていた方で、ほぼ 20 年ぶりの旧交を温めるお電話でした。当時、関さんにはたいへんお世話になったこともあり、そのご紹介で編集部の吉原成紀さんにお会いして、お話をお伺いすると、「医学生や若手の医師から気軽に読める心電図の問題集を求める声があるので、囲碁や将棋の問題集をイメージした新しいデザインの書籍を出版できないか」とのご提案でした。医学書というと堅苦しいイメージが付きまといますが、移動中や寝つく前のひと時など、「スキ間時間にも読める気軽な医学書」があってもいいじゃないかというコンセプトに、著者が大きく頷いたときから本書の出版計画がスタートしました。

　従来の原稿とはスタンスが違う執筆スタイルにいささかの戸惑いもありましたが、読者には、①手軽に持ち運んで頂きたいこと、②繰り返して目を通して頂きたいこと、③心電図波形のパタン認識だけで解答に到達するのではなく、判読の過程を大切にして頂きたいこと、④循環器専門医の判読技術(極意)を体感して頂きたいこと、を常に意識しながら作業を進めてきました。これらの意向を、『スキ間で極意！　いつでもどこでも心電図判読 88 問』という書名にも反映させたつもりです(88 問はダブル末広がりのゲン担ぎですが……)。

なお、多くの心電図を掲載する必要性から分担執筆による共著での出版もご提案頂きましたが、文体はいうまでもなく、内容にも一貫性を保たせるために単著にこだわりました。そのため、問題集に相応しい心電図を著者1人では収集することができず、多くの先生方から心電図のご提供を頂きました。京都大学の木下秀之・小笹寧子の両先生、宮城県成人予防協会中央診療所の佐藤文敏先生、北海道勤労者医療協会勤医協中央病院の鈴木隆司先生、それいゆ会こだま病院の岡嶋年也先生、京都下鴨病院の山下文治先生には、この場をお借りして厚く御礼申し上げます。また、既刊書やホームページからの図表の転載にご快諾を頂きました最新医学社の中西啓社長、南江堂の小立鉦彦社長、ハート先生こと心臓病看護教育研究会会長の市田聡先生にも改めて感謝申し上げる次第です。

　本書には、著者が手ほどきを受け、また、厳しくご指導頂いた多くの先生方の教えが耳学問も含めての内容が数多く盛り込まれています。また、編集部の吉原さんには著者の言葉足らずな解説文に、読者の視点からの適切な言葉を補足して頂き、論旨の通ったスマートな文章にブラッシュアップして頂きました。厚くお礼を申し上げます。

　最後になりますが、本書が心電図の判読に携わる方々に、少しでもお役に立つことを切に願っております。また、読者の皆様が心電図への苦手意識がなくなるようであれば、望外の喜びです。宜しくお願い申し上げます。

2017年1月　還暦を越えた複雑な心持ちとともに

上嶋健治

本書の使い方

　本書は「スキ間時間にも読める気軽な医学書」というコンセプトで書かれています。

　まず、問題集の形式をとっており、難易度によって初級・中級・上級と分類しています。

　初級編では、心電図判読に関する基本的な約束事である紙送り速度や較正波形のルールを掲げ、同時にアーチファクトの問題や基本的な誘導の電極装着についても触れています。また、心臓の電気的な位置である軸と移行帯の判読と、心拍数の数え方および小児の心電図にも言及しています。心電図判読の「超入門」という位置づけと考えています。

　中級編では、一定の経験を積めば必ず遭遇するであろう心電図所見を取り上げています。脚ブロック、心室肥大、心房負荷、虚血性の心電図変化、早期興奮症候群、心房細動や心房粗動を含む上室性の不整脈、心室頻拍や心室細動を含む心室性の不整脈、徐脈性不整脈の色々など、多彩な病態が学習できるように配慮しました。日常臨床上も重要で、しかもその判読技術が問われるものが中心です。そのため、中級編の問題数を最も多くしており、このレベルをしっかりマスターすることが、心電図判読の基本的な実力養成になると考えています。

　上級編では、中級編では取り上げることのなかった応用的な病態を取り上げています。循環器領域を専門にされる方であれば、これらの所見に遭遇する確率はかなり高くなると思いますが、遭遇する確率の低い一般の医療職の方でも、どこかの片隅に知識として蓄えておくことは、心電図の判読の深さにもつながるものと考えています。このレベルの判読が容易になれば、どなたが相手でも所見に関するディスカッションが可能で、免許皆伝クラスのレベルに到達したと自信を持ってください。

　同時に、各設問について重要度をミシュラン風に★の数で示しまし

た。おのおの、★★★★：けっして忘れてはならない必須の知識、★★★：基礎的で重要な知識、★★：応用的で重要な知識、★：応用的な予備知識の4つに分類しています。おおよその目安にしていただき、時間のない方には、重要度の高い問題から解き始めていただくことも一案かと考えています。

　さらには、心電図に関する豆知識的な「メモ」と、必ずしも心電図に関するテーマではない「コラム」欄を設けて、肩の凝らない読み物になることにも配慮しました。「レベルは高いが読みやすい」ことも本書の特徴になるかと思っています。

　心電図の判読スキルの向上には、「習うより慣れろ」と「継続は力なり」が重要です。繰り返し手に取っていただき、繰り返しトレーニングいただくことが、スキルアップの王道かと信じています。それでは、宜しくお願いします。

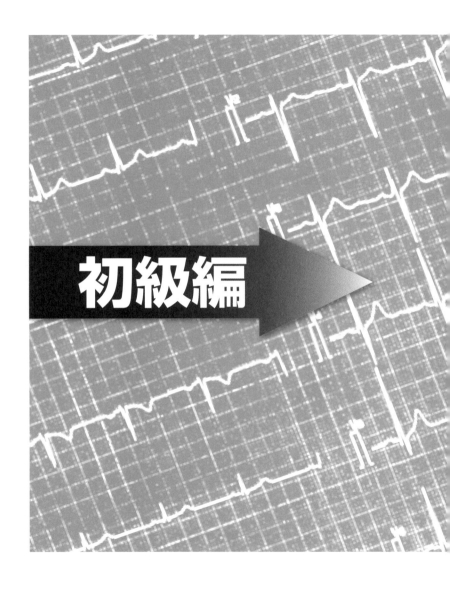

初級編

初級編について

　初級編では、心電図判読に関する基本的な約束事である紙送り速度や較正波形のルールを掲げ、同時にアーチファクトの問題や基本的な誘導の電極装着についても触れています。

　また、心臓の電気的な位置である軸と移行帯の判読と、心拍数の数え方および小児の心電図にも言及しています。心電図判読入門の入門という位置づけで捉えていただければと考えています。

第01問

重要度 ★★★★ 初級編

この心電図の記録で、まず着目すべきところはどこですか？

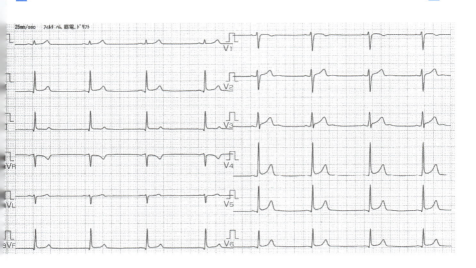

心電図の基本：まずは較正を確認しよう

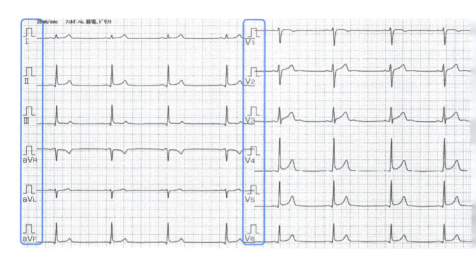

　まず着目すべきところは、電位の5 mmが1 mVと通常の心電図記録の半分の較正で記録されているところです。

　較正波形の正確な把握なしには、肺性P波や左室肥大の診断など、電位の基準が診断に影響を与えるものの正確な評価ができません。

初級編

参考図

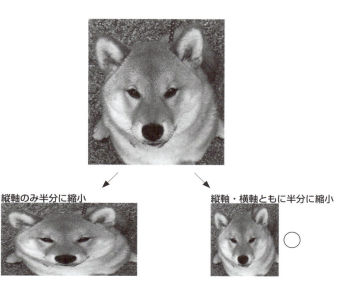

　心電図の較正波形を意識して読影する際に、注意すべきことがあります。

　すなわち、本来の図形の形を「縦軸・横軸ともに」半分に縮小すれば、元の図形の印象は保たれます。しかし、左下の心電図のように縦軸のみを半分に縮小してしまうと、元の図形とは大きくかけ離れたものを評価することになります。

COLUMN

写真の犬は

　前ページの参照図に掲げた犬は、わが家の「七五三太（しめた）」です。名前の由来をよくたずねられるのですが、結論から言えば、同志社大学創設者の新島襄氏の幼名をいただきました。

　実は、2013年頃に柴犬を飼いたくなり、購入直前まで話が進んだことがありました。犬の名前を考えていたときに、長女からネットでは「八重」という名前が流行っているとの話がありました。幕末に会津の鶴ヶ城に銃を持って立てこもり、後にアメリカ帰りの新島襄の妻となった山本八重こそ当時のNHK大河ドラマ『八重の桜』の主人公でした。

　ただ、「八重」は女性名であり、雄犬にはそぐわないということで没になり、それならご主人の「襄（じょう）」をいただこうかという話になったのですが、これも洋犬の名前で和犬にはそぐわないということで没になりました。ところが、襄の幼名に思いあたった結果、急転直下「七五三太」に落ち着いた次第です。残念ながら、初代（？）七五三太は諸般の事情で、わが家に来ることはありませんでしたが、2015年10月31日に2代目（？）七五三太がやってきました。

　ちなみに、新島七五三太の命名は、祖父である弁治が4人の女子が続いた後の初の男子誕生に喜び、「しめた」と叫んだことに由来するといわれています。

第02問

重要度 ★★★★☆　初級編

この心電図の記録で、まず着目すべきところはどこですか?

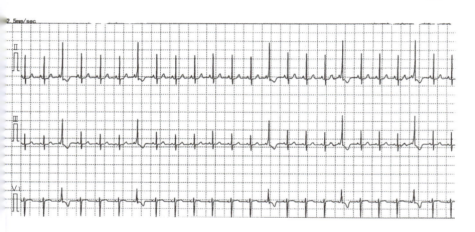

心電図の基本：まずは紙送り速度を確認しよう

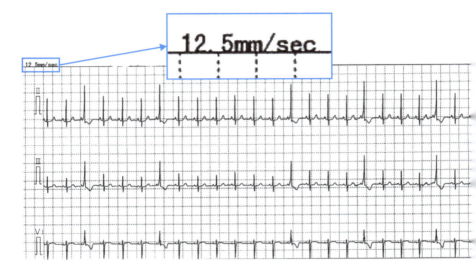

　この心電図記録では、12.5 mm/秒と通常の心電図記録速度の半分の速度で記録されています。

　心電図の指標には、心拍数やPQ時間、QTc間隔など、心電図記録速度の影響を受けるものがたくさんあります。心電図記録速度の正確な把握なしには、読影は始まりません。

初級編

参考図:記録速度を遅くする意義とは

　同じ症例の 25 mm/秒の通常の心電図記録速度で記録した心電図を示します。設問の心電図では5個見られた異常波形は、本記録では2個(肢誘導と胸部誘導は同じタイミングのものを記録しているので、厳密には1個)にとどまります。

　このような異常波形の出現頻度などを評価する際には、記録速度を遅くして評価することも必要です。

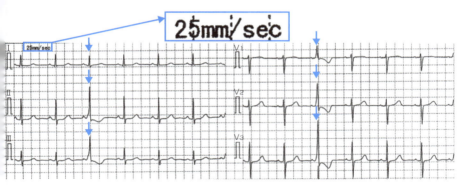

COLUMN

ボールペンを使った波形計測

　心電図の各種波形の幅や長さを求めることは、目盛りが小さくて（当たり前ですが、1mm単位です）、なかなか面倒なものです。ハート先生こと市田聡先生は、近著の『ハート先生の心電図読本』（医学同人社）の中で、ボールペンを使った波形計測について言及されています。

　これは、ボールペンのペン先の幅は約2mmであることを利用して、例えばQRS幅を計測する際などに利用するものです（下図参照）。QRS幅も基本的には0.08秒未満、すなわち2目盛り（2mm）以内が正常なので、ペン先の幅と比較してその幅を評価するわけです。

QRS幅

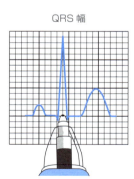

第03問

重要度 ★★★★ 初級編

次の心電図記録の問題点はなんでしょう？

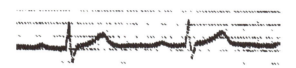

解答:交流ハムの混入

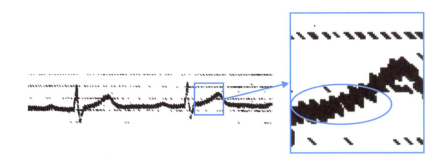

　心電図も画像診断の一つです。ノイズのない美しい記録が正確な読影の第一歩です。主なノイズには、ハム、筋電図、ドリフトの3つがあります。

　交流ハムは50 Hzまたは60 Hzの正弦波が混入して基線が太く見えるものです。拡大すると規則的な波が入っていることがわかると思います。
　この問題は、心電計のアース線を確実に取り付けることや、周囲でME機器や電気製品を使わないようにすることで解決することが多いようです。

重要度 ★★★★ 初級編

次の心電図記録の問題点はなんでしょう？

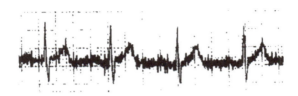

解答:筋電図の混入

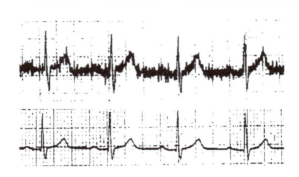

　前問の交流ハムの混入で見られた規則的な正弦波とは異なり、本文では波形が不規則です。これは筋電図が混入したことによるものです。
　下段は筋電図の混入のない誘導の記録です。

　筋電図は患者さんの緊張や室温が低すぎることで生じます。
　対策として、検査の内容を十分に説明して恐怖感や緊張感を取り除きます。部屋も温かくする必要があります。
　なお、病的な振戦による場合には、肢誘導の電極を末梢ではなく体幹に近い中枢側に装着するといくぶんは軽快します。

第05問

重要度 ★★★★☆ 初級編

次の心電図記録の問題点はなんでしょう？

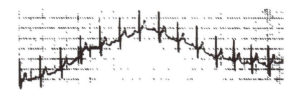

解答：ドリフト：呼吸による基線の動揺

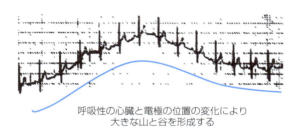

呼吸性の心臓と電極の位置の変化により
大きな山と谷を形成する

　呼吸により胸郭が動くことによるドリフトの影響です。呼吸が大きい場合には胸部電極の位置が変わることで発生します。

　患者さんには、緊張を解いてゆっくりと静かに呼吸してもらうことを心がけてもらいます。

第06問

重要度 ★★★★

初級編

次の心電図記録の問題点はなんでしょう？

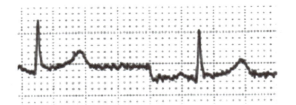

解答：ドリフト：電極の移動による基線の動揺

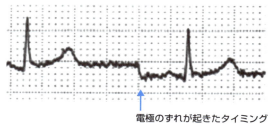

電極のずれが起きたタイミング

　皮膚と電極の位置関係が変わることによるドリフトです。

　汗などによる影響も多いので、室温の管理や電極装着部位をしっかりタオルで拭くことなどが必要です。

第07問

重要度 ★★★★

初級編

ホルター心電図の記録を示します。まず注意すべきところはどこですか？

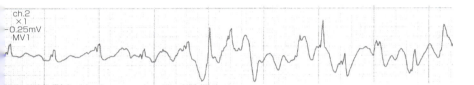

ヒント：脈の不整についてどう考えますか？

第07問

まずは体動の影響を考慮しよう

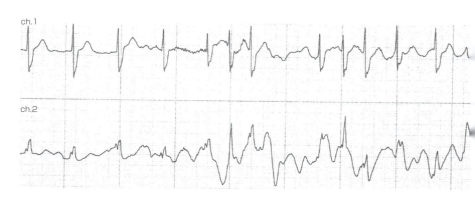

　ホルター心電図の記録（ch.2）は、体動などの影響を強く受けます。記録からは、心室頻拍か心室細動のように思えますが、ほかの誘導の記録も併せて解釈することが重要です。

　同時記録された ch.1 の記録を上段に示しますが、少なくとも心室頻拍様の不整脈は記録されておらず、問題の心電図は体動によるアーチファクトと考えられます。

そのうえで心電図を読み解くと

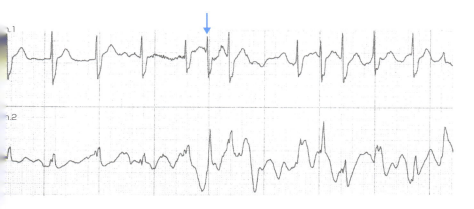

　ただし、↓以降の記録では、少なくとも脈不整はありそうで、P波を認めず、QRS間隔が一定ではありません。

　以下は、中級レベルのテーマになりますが、発作性の心房細動を強く疑います。また、全体にQRS幅が広くch.1がV5誘導の類似波形、ch.2がV2誘導類似波形を反映する誘導で記録されているので、これは12誘導心電図では完全右脚ブロックを呈していることも推測されます。

第07問

参考図：歯磨き VT

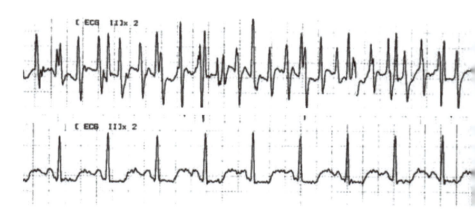

　モニタ上の心電図変化では、俗に「歯磨き VT（心室頻拍）」といわれるものがあります。

　モニタの電極の1つが右肩から右前胸部に装着されているときに、歯磨きのような動作によって図上段のようなアーチファクトが混入し、一見、心室頻拍のように見えてしまいます。下段の記録は歯磨きを中止したときのものです。

第08問

重要度 ★★★★ 初級編

この心電図記録で気になるところはありませんか？

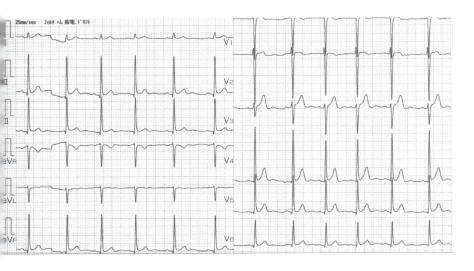

ヒント：V3〜V4 の胸部誘導に着目してください。

（V₃〜V₄誘導の）QRS波形が連続的に変わっています

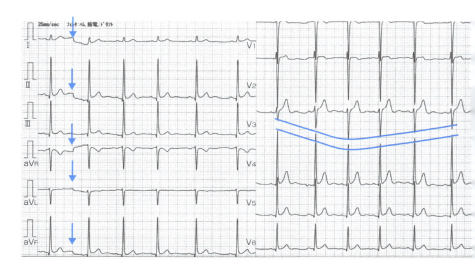

　V₃のS波は徐々に深くなって、また浅くなり、V₄のR波は徐々に低くなって、また高くなっています。大きな呼吸はドリフトとして影響を与えるだけでなく、心電図波形に影響を及ぼすことも覚えておいてください。

　なお、↓の皮膚と電極の位置関係が変わることによるドリフトにも気づいてもらえると、嬉しいですね。

重要度 ★★★★ 初級編

心電図の電気軸と移行帯を答えてください。

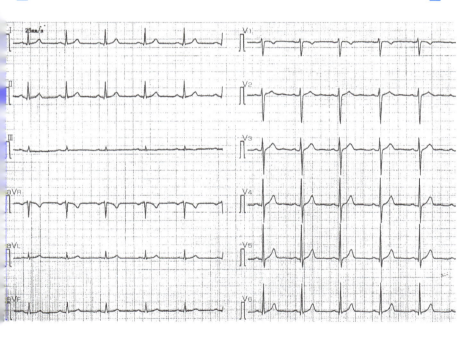

ヒント：I 誘導と aVF 誘導の QRS は？
移行帯は胸部誘導に着目してください。

電気軸：I 誘導と aVF 誘導だけで十分

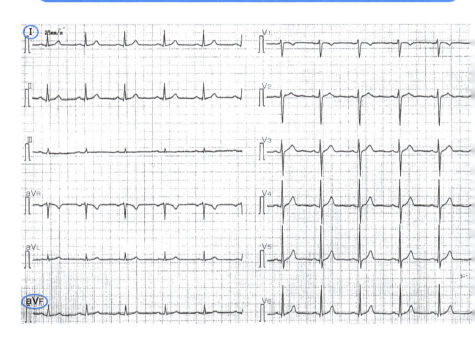

見るのは I 誘導と aVF 誘導です。

QRS 成分を評価する

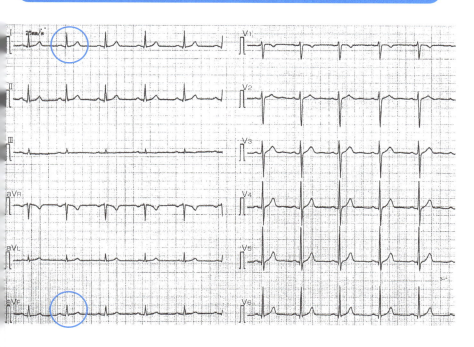

それぞれの QRS 成分は陽性です。

その組み合わせから答えを導く

I 誘導の QRS 成分	aVF 誘導の QRS 成分	電気軸
陽性 ∧	陽性 ∧	正常
陽性 ∧	陰性 ∨	左軸偏位
陰性 ∨	陽性 ∧	右軸偏位
陰性 ∨	陰性 ∨	著明な左軸偏位か著明な右軸偏位

今回は、陽性-陽性でしたので、正常であることがわかります。

初級編

移行帯：胸部誘導を V1 から V6 までをざっと眺めて

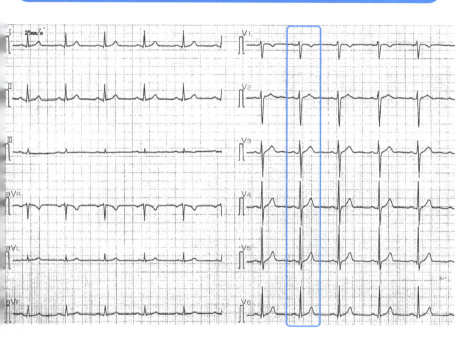

見るのは胸部誘導です。

R/S＝1（陽性部分と陰性部分が同じ割合）になる誘導を探す

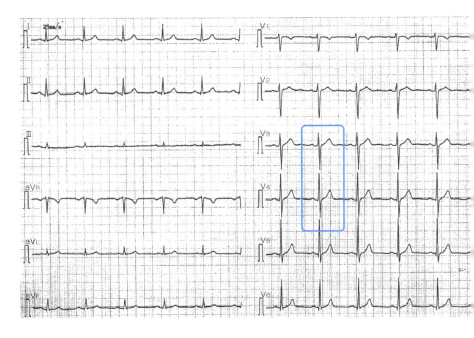

　本図ではR/S＝1となる誘導はありませんが、移行帯はV₃とV₄の間にありそうです。

第10問

重要度 ★★★★ 初級編

心電図の電気軸と移行帯を答えてください。

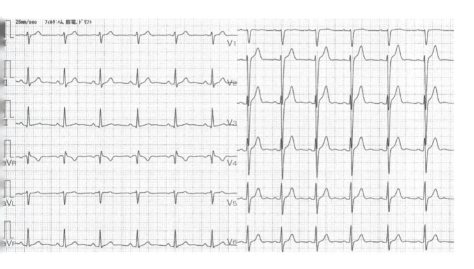

第10問

解答解説

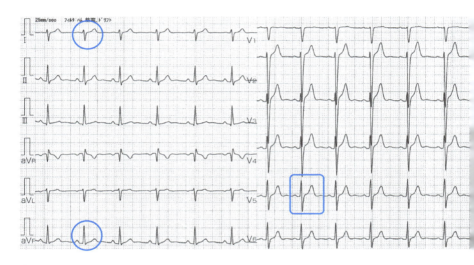

　電気軸を見てみると、I 誘導で下向き成分が強く、aVF 誘導では上向き成分が強く、右軸偏位を呈しています。

　移行帯は R/S がほぼ 1 となる、V5 になります。

第11問

重要度 ★★★★☆ 初級編

この心電図の記録で、気づくべき点はどこですか？

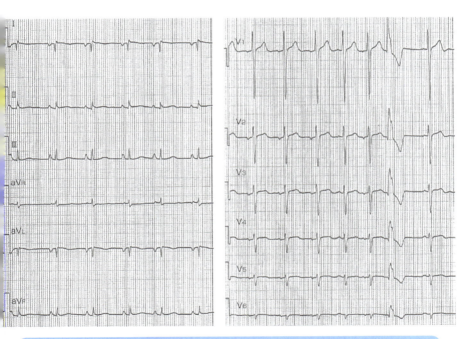

ヒント：胸部誘導の不整脈は大きな問題ではありません。
基本に戻って、軸と移行帯を確認してください。

解答解説

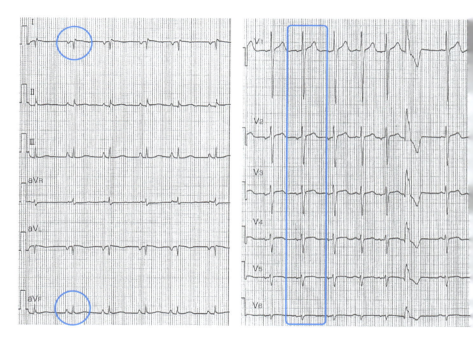

　I誘導で下向き成分が、aVF誘導では上向き成分が強く、極端な右軸偏位を呈し、さらにI誘導のP波も陰性です。これらの所見からは、「肢誘導の右手と左手の電極の付け間違い」が考えやすいのですが、R/S＝1となる移行帯も見当たらず、逆にV5、V6の左側胸部誘導でR波高が減高しています。
　ここでは、心臓の位置異常を考えるべきで、右胸心を疑います。

第12問

重要度 ★★★☆ **初級編**

前問の患者さんに「ある工夫」をして記録しました。さて、もう一度軸と移行帯を確認してみてください。また、「ある工夫」についても思い浮かべてみてください。

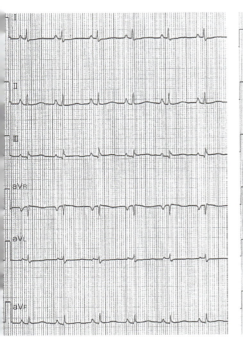
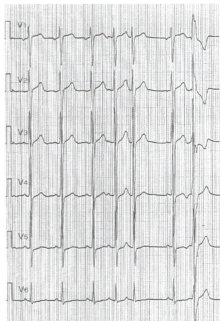

第12問

解答解説 1

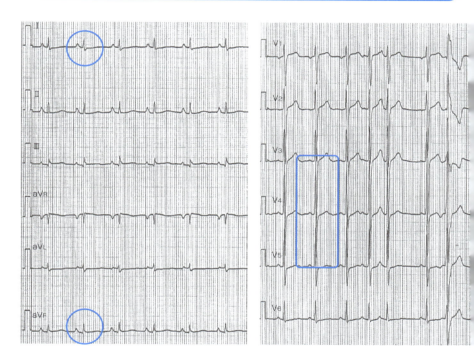

　軸は正常軸で、移行帯はV4付近にありそうです。「ある工夫」によって診断図が読みやすくなったと感じるかと思います。
　では、その「ある工夫」とは……。

解答解説 2

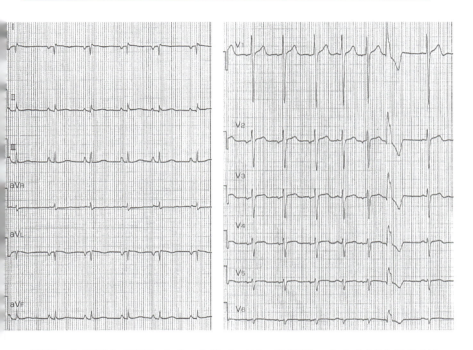

　前問の心電図を再掲します。右胸心では、肢誘導の左右を付け替え（付け替えないとする成書もあり）、また、右側胸部誘導を記録します。前ページの心電図は、このような「工夫」の後に記録したもので、これにより正常軸であることと、V4付近の移行帯が確認され、脈不整以外には大きな異常はないと評価しました。
　なお、右側胸部誘導の記録方法は次ページに解説します。

第12問

記録方法の違い

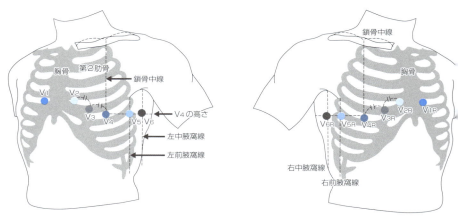

通常の胸部誘導の記録方法　　　　　　　　　右側胸部誘導の記録方法

　通常の胸部誘導の記録方法と右側胸部誘導での記録方法を図に示します。V_{3R}〜V_{6R} という名称は、左側の V_3〜V_6 誘導を左右対称に右胸壁上で記録するときの約束事（したがって、V_1 は V_{2R} と言い換えることも可能）です。

　図に標準12誘導の胸部誘導の記録部位と右胸心の記録部位を示します（ただし、右胸心であっても V_1 と V_2 は通常通り記録するという成書もあります）。

　いずれにせよ、右胸心であっても、いったんは標準12誘導を記録し、その後にアレンジするという考えが重要です。

第13問

重要度 ★★★★ 初級編

この心電図の心拍数を答えてください。

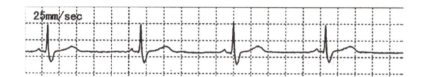

第13問

参考：300の法則

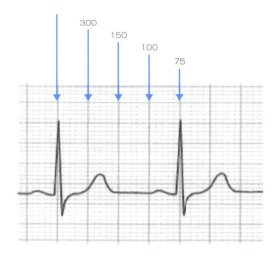

　「300の法則」を使えば簡便に心拍数を求めることができます。記録紙にある5mmごとの太い縦に重なったR波と、その次のR波が重なった太い縦の線との関係から、300、150、100、75、（以下、60、50、…）と数えていく方法によりおおよその心拍数が推測可能です。

解答

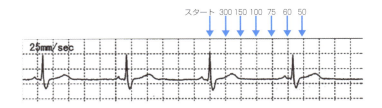

　この心電図でも「300の法則」を使って簡単に心拍数を導くことができます。およそ50〜60の間とわかり、徐脈でも頻脈でもなく、ほぼ正常と考えられます。

　このとき、52なのか58なのかで神経質になることには、あまり大きな意味をもちません。

電極とその色

　心電図の記録は緊急時に要求されることも少なくなく、心電計の電極先端に記録された誘導を示す細かい文字を確認している余裕はありません。通常は、四肢および胸部電極に近いコードの部分を色分けし、どの部位にどの電極を装着すればよいのかを色彩の感覚で判断できるようにしています。肢誘導では、右手が赤、左手が黄、左足が緑、右足が黒と、コードが色分けをされています。胸部誘導にも同様の決められた色分けがあり、V_1 が赤、V_2 が黄、V_3 が緑、V_4 が茶、V_5 が黒、V_6 が紫のコードに対応しています。この色分けには国際規格があり、本邦とヨーロッパ諸国は統一された同じ色分けをしていますが、米国は例外的な色分けをしています。

　いずれにせよ、臨床の現場では各電極の装着部位と色とを対比して記憶しておかねばなりません。みなさん苦労して記憶されているようです。胸部誘導に関しては、推理作家の法月綸太郎の短編集『しらみつぶしの時計』(祥伝社)に収録されている「四色問題」の中で、医学生が胸部誘導の電極の色を V_1 から V_6 に向かって、「あ(赤)き(黄)み(緑)ちゃん(茶)のブラ(黒：ブラック)は紫」と語呂合わせをして記憶法とする場面が出てきます。

第14問

重要度 ★★★★　初級編

この心電図の心拍数を答えてください。

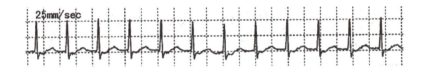

第14問

解答

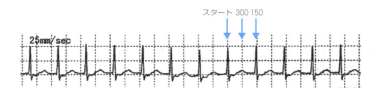

これも 300 の法則を使えば簡便に心拍数を求めることができます。ほぼ 150 となり、これは頻脈に該当します。

診断までできれば 120 点

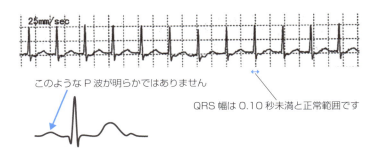

このような P 波が明らかではありません

QRS 幅は 0.10 秒未満と正常範囲です

　ただ、洞性 P 波が明らかでないことと、QRS 幅が狭いことから、上室頻拍と診断できれば申し分ありません。

MEMO

電気軸の意義

　電気軸とは、両心室の電気的興奮の方向を前額面から見たものです。心臓全体としては、正常であれば、電気は右上から左下方に向かいます（左に向かうためⅠ誘導でR波が陽性、下に向かうためaVF誘導でR波が陽性に記録）。もし、肥満などがあり横隔膜が挙上した状態であれば、横位心となり、電気軸は水平（左軸）方向に偏位し、逆に心臓が肺気腫などにより滴状心となれば、電気軸は垂直（右軸）方向に偏位します。また、肥大した心筋は、より大きな電気的活動を有するため、電気軸は肥大した心室側、すなわち右室肥大であれば右軸、左室肥大であれば左軸に偏位します。

　また、心筋梗塞などで心筋が壊死に陥り、その起電力を失ってR波が減高すると電気軸に異常を生じます。刺激伝導系の異常による左脚前枝の束枝ブロック時には左軸偏位に、左脚後枝の束枝ブロック時には右軸偏位になります。このように、種々の異常を見落とさないためにも、心電図のⅠ誘導とaVF誘導を一瞥して電気軸を把握することは、判読上の重要な作業の一つといえるのです。

第15問

重要度 ★★★★ 初級編

下の心電図の心拍数を答えてください。

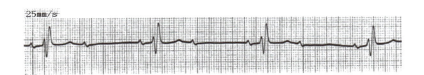

「300の法則」に従うと……

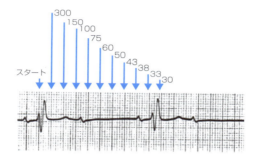

　「300の法則」から、およそ30と33の間と計算することもできますが、5 mmごとの太い縦線は300〜100までは2本だけですが、60〜30までは5本も必要になってしまいます。

　「300の法則」は頻脈傾向には強いのですが、徐脈に対してはいささか使い勝手が悪くなってしまうのです。

本問の解き方

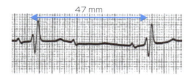

そこで、1,500 を R-R 間隔の距離で除する方法もあります。
本心電図では、RR 間隔が実測 47 mm ですので、心拍数は、

　1,500（mm/分）÷ 47（mm/拍）= 32（拍/分）

と求められます。

移行帯の意義

　移行帯は電気的興奮の方向を水平面(胸部誘導)から見て、心臓の位置を示したものです。正常であれば、胸部誘導は V1 から V6 に行くにしたがって R 波が増高するので、V3、V4 誘導、またはその中間が移行帯になります。移行帯が V6 誘導側に移動するとき、これを時計軸回転と呼び(心臓を下から見上げると移行帯が右回りに移動するので)、胸部誘導全体では陰性成分が目立つようになり、肺気腫や肺性心などによく認められます。逆に、移行帯が V1、V2 誘導側に移動することを反時計軸回転と呼び、胸部誘導全体では陽性成分が目立つようになります。

　最近、時計軸回転は心血管疾患死亡リスクと有意な正の関連をもち、反時計軸回転は負の関連を示したことが報告され、心電図の発見から 100 年以上にわたって大きな関心の対象とならなかった移行帯が、このように予後と関連づけられたことは重要な発見とされています。ただ、個人的には「あなたは心電図が時計軸回転だから、心血管疾患死亡リスクが高いですよ」と指摘されても、個人の努力で改善させることができないので、「それで？」と言いたい気持ちにはなりますね。

第16問

重要度 ★★★★ 初級編

下の心電図の心拍数を答えてください。

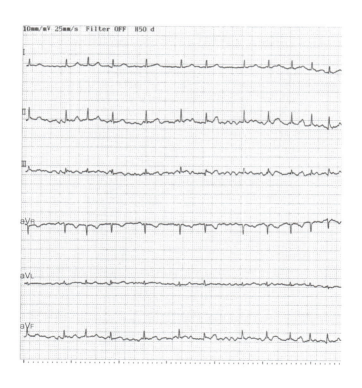

第16問

脈が絶対的に不整で、「300の法則」は使えません

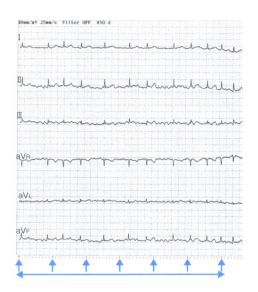

　第15問の応用になりますが、心電図の記録紙の最下段には、通常25 mm(1秒)ごとに少し大きなマークがつけられていることがあります。

　これを頼りに6秒間(1,500 mmに相当)を任意に設定し、その範囲にあるQRS群の数を数えます。その10倍が、およその毎分の心拍数になります。

　本記録では↔の6秒間には、10〜11個のQRSを認めるため、およそ100〜110拍/分の心拍数と計算されます。

第17問

重要度 ★★☆☆ 初級編

この心電図を見て、どのような印象を抱くでしょうか？

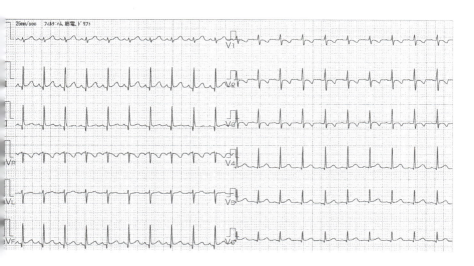

第17問

頻脈かな……？

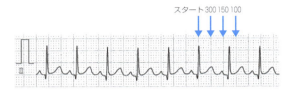

心拍数はおよそ120拍/分前後の頻脈で、洞性頻脈と考えられます。

初級編

よく見ると、右軸偏位も

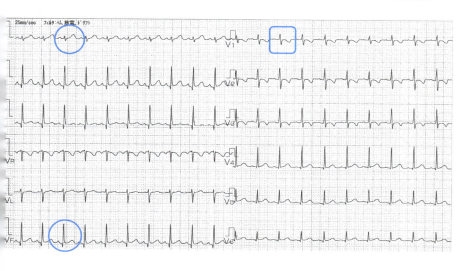

　よく見ると、軽度の右軸偏位で、移行帯も V1 の時計軸回転であることから、右心系の負荷のある心電図を思わせます。

第17問

解答：実は3歳男児の心電図

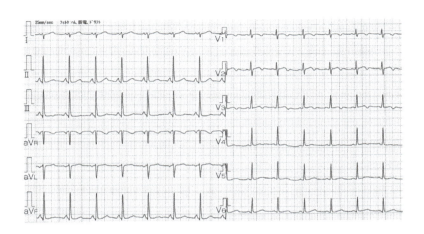

小児の心電図には、成人と異なるいくつかの特徴があります。

①右軸偏位の傾向、②V_1〜V_4の胸部誘導で、陰性T波を呈することが多く、③PQ時間は短く（学童で0.18秒を超える場合は注意が必要）、④QRS幅も0.10秒を超えることは少なく、⑤洞性不整脈（洞性頻脈や呼吸性不整脈）が多い、ことが特徴です。

本参考図も9歳の女児の心電図ですが（心拍数は92拍/分）、おおむねこれらの特徴をそなえています。

なお、洞性頻脈自体は治療の対象にはなりませんが、背景に何があるのかを確認することが重要です。

第18問

重要度 ★★★★☆ 初級編

この心電図を見て、どのような印象を抱くでしょうか？

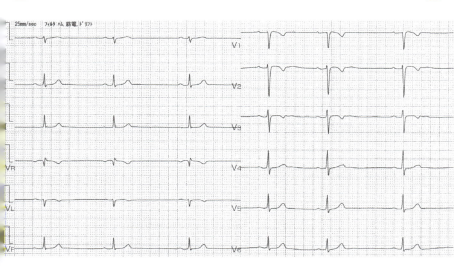

第18問

徐脈……？

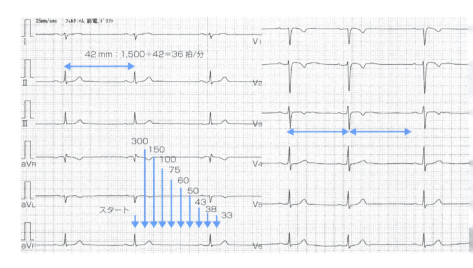

　心拍数は30台後半の徐脈で、洞性徐脈と考えられます。
　しかも、胸部誘導で見ると、1～2拍目と2～3拍目では、R-R間隔が異なり、洞性不整脈もありそうです。

右軸偏位……小児の心電図?

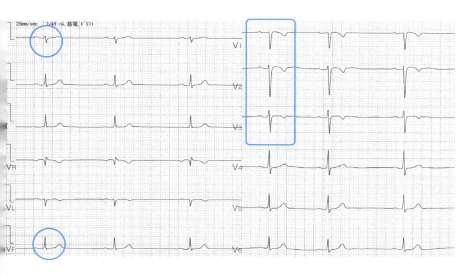

　軽度の右軸偏位があって、V_1〜V_3に陰性T波を認めることから、小児の心電図を疑わせます。
　しかし、徐脈というのは少し解せません……。

第18問

解答：13歳、スポーツ心臓

> 洞性徐脈(sinus bradycardia)
> 洞性不整脈(sinus arrhythmia)
> 移動性ペースメーカ(wandering pacemaker)
> 洞休止、洞停止(sinus pause, sinus arrest)
> 洞房ブロック(sinoatrial block)
> 第1度房室ブロック(first degree atrioventricular block)
> Wenckebach型第2度房室ブロック
> (second degree atrioventricular block(Wenckebach type))
> 房室リズム(atrioventricular rhythm)
> 房室解離(atrioventricular dissociation)

　実際は、13歳のサッカー部(Jリーガーを目指す？)のレギュラー選手で、スポーツ心臓の要素が関わって徐脈を呈したものと思われます。

　スポーツ心臓では迷走神経の緊張による徐脈性不整脈を認めることがあります。それらの不整脈の一覧を示しました。

第19問　重要度 ★★★★☆　初級編

この心電図を見て、どのような印象を抱くでしょうか？

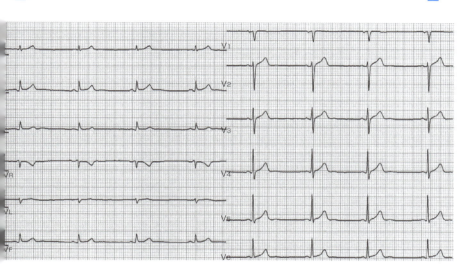

第19問

徐脈……？

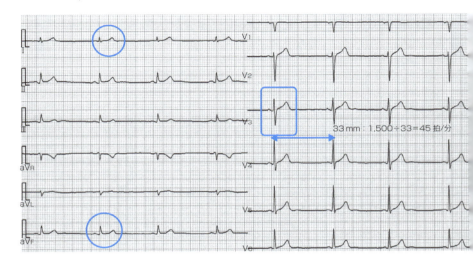

心拍数は40台半ばの徐脈で、洞性徐脈と考えられます。
また、軸や移行帯も含めて、ほかに異常も見当たらないようです。

初級編

洞性徐脈を生じさせる原因

心疾患	心筋梗塞(下壁・後壁)、心筋炎、心筋症
その他の疾患	甲状腺機能低下症、サルコイドーシス、アミロイドーシス
薬物	β遮断薬、ジギタリス、一部のCa拮抗薬、一部の抗不整脈薬
その他の病態	スポーツ心臓、電解質異常(高K血症など)

　洞性徐脈は洞機能不全症候群以外でも生じます。上記表の病態を思い浮かべられれば完璧です。

　ちなみに、本例は74歳男性の甲状腺機能低下症でした。

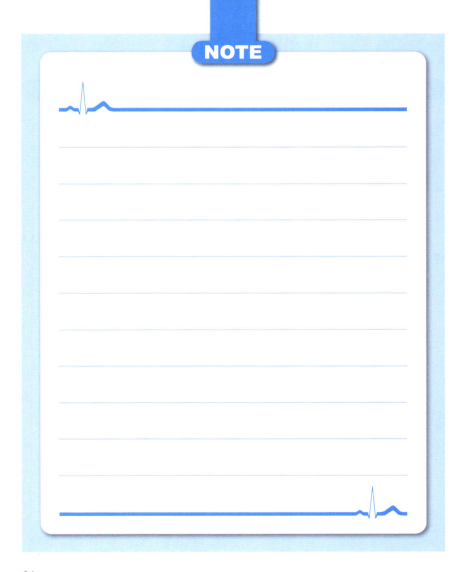

第20問

重要度 ★★★☆　**初級編**

脈の整・不整に着目して所見を述べてください。

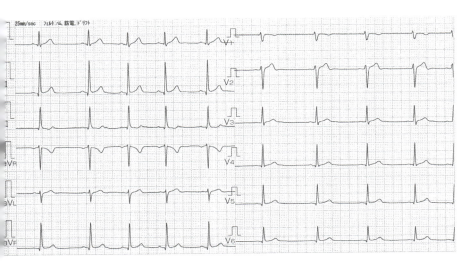

ヒント：P波の形は？

解答解説

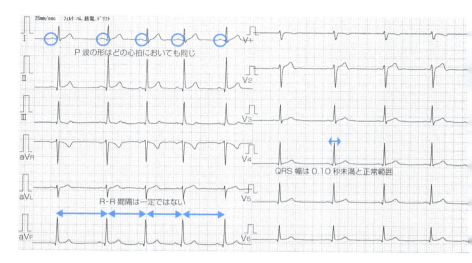

　P波の形はどの心拍においても同じで、正常の洞由来と考えてよさそうです。しかも、狭い正常の QRS を認めることから、基本調律は洞調律と考えられます。
　しかし、R-R 間隔は一定ではありません。
　これは洞性不整脈と呼ばれるもので、小児によく見られる不整脈ですが病的なものではありません（第14問の洞性徐脈も胸部誘導ではわずかに脈不整を認めます）。

　設問には直接関係ありませんが、胸部誘導の較正波形が 1/2 になっていることに気づきましたか？

初級編

参考図

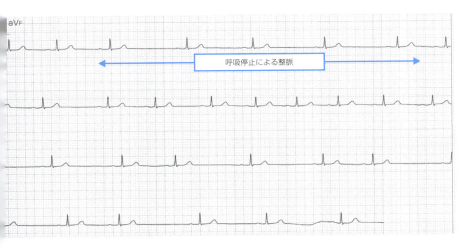

洞結節からの電気刺激は、呼吸の影響を受けることが知られており、吸気では脈は速くなり、呼気では遅くなります。

呼吸を止めれば規則正しい脈となるので、病的不整脈との鑑別が可能です。

アーチファクトを防ぐコツ

　心電図も画像診断の一種なので、美しい画像を判読することが正確な診断への第一歩です。アーチファクトの中でも筋電図とドリフトは、標準12誘導心電図よりもモニタ心電図で悩まされることが多いと思います。

　どうしても右肩にモニタ電極を付けてしまうと、右腕の動きによって、電極がずれたり、筋電図が混入しがちになります。そのような場合には、右肩の電極の位置を胸骨柄近辺の胸骨部分に移動させてみてください。同様に、左の脇腹付近のモニタ誘導は、同部の屈曲や伸展によりノイズを拾いがちになります。そのようなときには、腹部や肋間ではなく、前腋窩線の第5肋骨の上に移動させてみてください。いずれも、「骨」の上に電極が置かれることで、安定度はずいぶん向上するはずです。

　ちなみに、この程度の移動では、心電図波形には大きな影響を与えませんので、判読上、問題になることはなく、安定した心電図波形を得ることのメリットのほうが大きいと考えています。

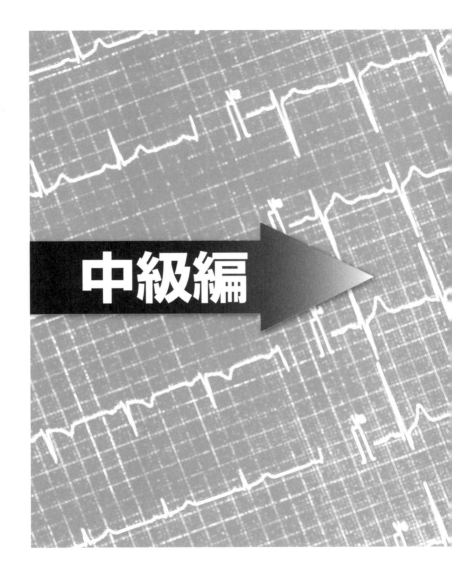

中級編について

　中級編では、初級編で学んだ心電図判読の基本的な約束事をもとにして、一定の経験を積めば必ず遭遇するであろう心電図所見を取り上げています。脚ブロック、心室肥大、心房負荷、虚血性の心電図変化、早期興奮症候群、心房細動や心房粗動を含む上室性の不整脈、心室頻拍や心室細動を含む心室性の不整脈、徐脈性不整脈の色々などが学習できるように配慮しました。日常的に遭遇し、しかもその判読が極めて重要になる病態を集めており、中級編の問題数を最も多くしています。

　この中級編レベルをしっかりマスターすることが、心電図判読の基本的な実力養成になると考えています。

第21問

重要度 ★★★☆ **中級編**

【 AとBは同一患者さんの心電図です。Aは救急室での心電図で、Bは処置後の心電図です。何が起きていたのかを考えてみてください。】

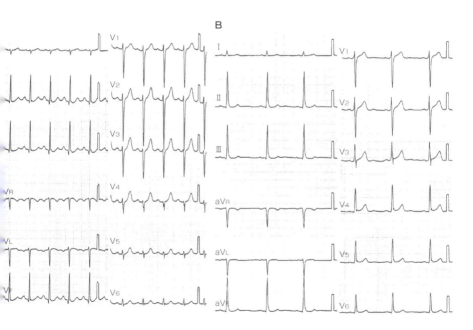

ヒント：軸と移行帯に注意して考えてみてください

気管支喘息の発作中と処置後の心電図変化

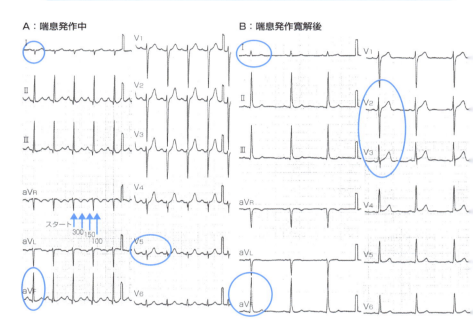

A：喘息発作中
B：喘息発作寛解後

　Aは喘息発作時で、心拍数126拍/分の洞性頻脈で、右軸偏位を認めます。また、V_1〜V_6までの著明なR波の減高を認め、移行帯はV_5で時計軸回転を示しています。

　Bの喘息発作の寛快後には、右軸偏位の程度も改善し、V_3〜V_6のR波高も正常に復して移行帯もV_2〜V_3の間とほぼ正常です。

中級編

COPD 患者の心電図変化

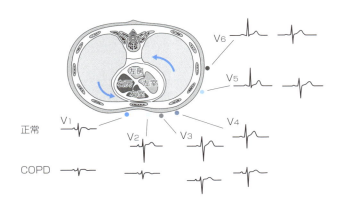

このような心電図変化を認める機序としては、

①血行動態上、右室負荷が発生すると右室が前方に偏移して、前胸部誘導の rS ないしは QS パタンが V_3〜V_4 で記録される結果、移行帯の時計軸回転が生じる。

②呼気障害により肺が過膨張すると、横隔膜の下方偏移に伴う心臓の下垂により、前胸部誘導が心臓の基部を上から覗きこむように位置する。すると、起電力の乏しい心基部からの R 波は減高して記録される。

の、2 つが要因とされています。

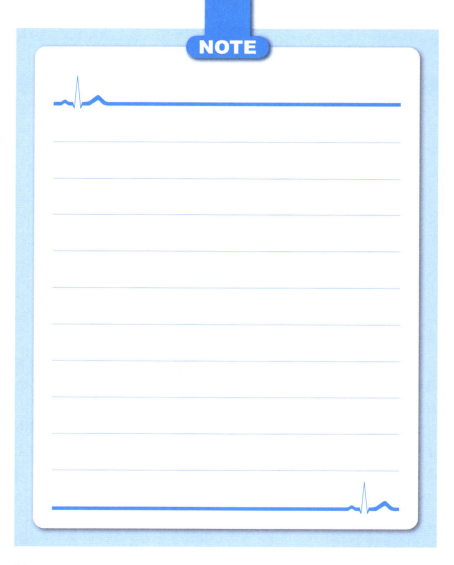

第22問

重要度 ★★★☆ **中級編**

電気軸を評価してください。心電図診断としては難問でしょうか。

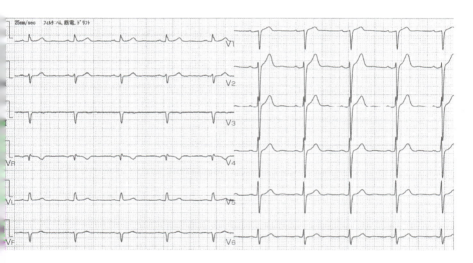

左脚前枝ブロックが疑われます。

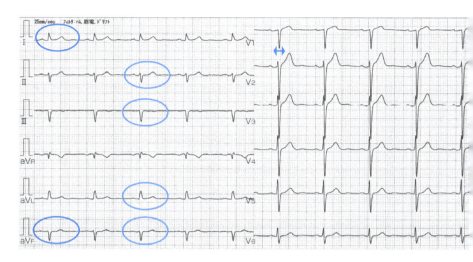

　左脚は前枝と後枝に分枝し、左脚前枝は伝導障害を影響を受けやすい非常に繊細な線維です。

　左脚前肢ブロックは、高度な左軸偏位、Ⅱ・Ⅲ・aVF 誘導の rS パタン、aVL の qR パタン、QRS 幅の延長（ただし 120 msec：記録紙の 3 マス以内）を特徴とします。

　心電図を定期的に撮像していると、経過中に大きな軸偏位の変化に遭遇することがあります。左脚前枝ブロックは、その一因になり得ます。

第23問

重要度 ★★★★ 中級編

最も重要と思われる所見はなんでしょうか？

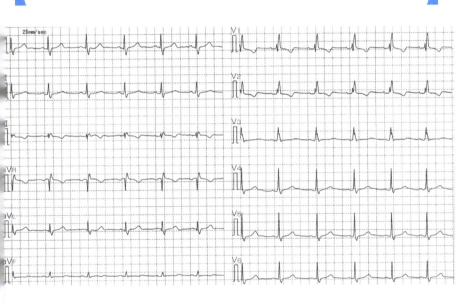

解答：（完全）右脚ブロック

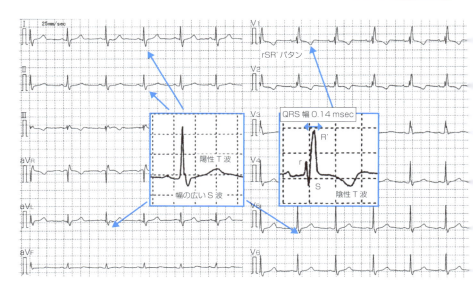

　V1誘導でのrSR'パタンは右脚ブロックの心電図の特徴的なパタンです。

　また、通常V1でのT波は陰転し、Ⅰ、aVL、V5、V6といった左側の誘導では幅の広いS波と陽性のT波を認めます。

　QRS幅が0.12秒（記録紙の目盛りで3マス）以上あれば完全右脚ブロック、0.12秒未満であれば不完全右脚ブロックと呼びます。

　今回は、完全右脚ブロックの診断となります。

第24問

重要度 ★★★★ 中級編

最も重要と思われる所見はなんでしょうか？

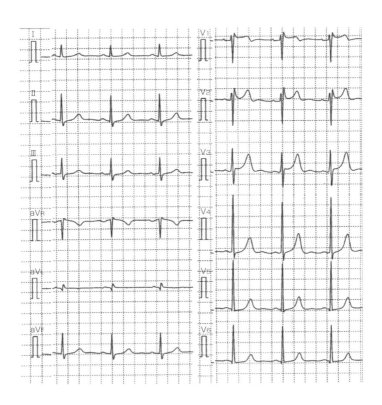

解答:不完全右脚ブロック

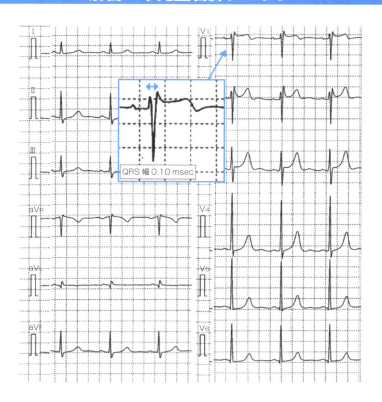

　前問と同様に V1 で rSR' のパタンをとりますが、QRS 幅は 0.12 msec 未満と狭いため、不完全右脚ブロックと診断されます。

第25問

重要度 ★★★☆ 中級編

これも右脚ブロック……でしょうか？

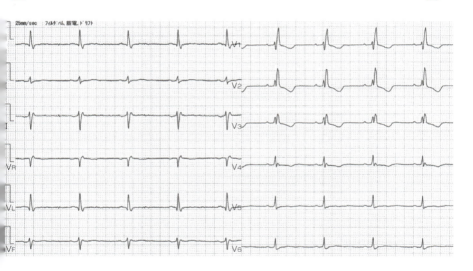

典型的な右脚ブロックに見えます

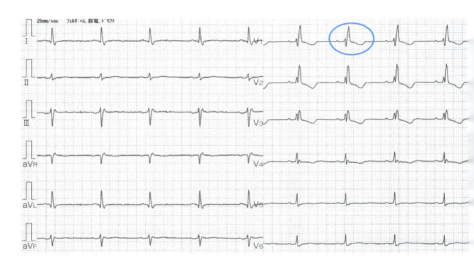

　V1誘導にrSR'パタンを認め、本問も右脚ブロックが生じていると考えることができます。

　しかし、それだけで終わってはダメです。

加えて、左軸偏位も見つかる

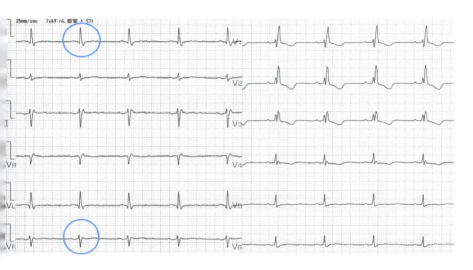

なぜなら、左軸偏位も見つけることができるからです。
右脚ブロックは、本来、正常軸から軽度の右軸偏位のはずです。

2束ブロック

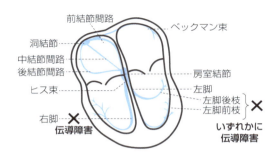

本例では右脚ブロックに左脚前枝ブロックを合併しているのです。

このように、右脚および左脚の2束の合わせて3束のうち、右脚および左脚の2束のいずれか1束に伝導障害を認める場合を2束ブロックとよびます。

第26問

重要度 ★★★★☆　中級編

ノーヒントです。

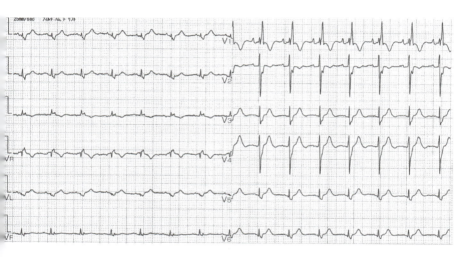

右脚ブロックに左脚後枝ブロックの合併

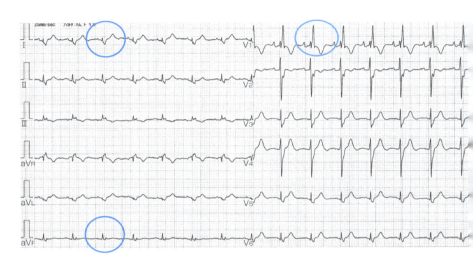

　前問とは異なり、右脚ブロックに左脚後枝ブロックを合併した場合には著明な右軸偏位を呈します。

　左脚前枝ブロックは比較的高頻度で認められますが(中級編第22問参照)、左脚後枝ブロックは単独で認められることはほとんどありません。

参考図:3束ブロック

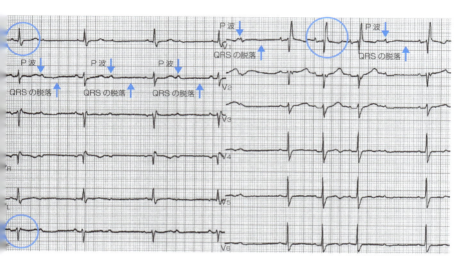

　なお、本参考図は右脚ブロックに左軸偏位を合併した心電図ですが、左脚前枝であれ左脚後枝であれ、束枝ブロックが右脚ブロックに合併した2束ブロックでは、残る1束にも伝導障害を生じると、3束ブロック、すなわち高度の房室ブロックへの進行が懸念されます。

COLUMN

フォトメモリー

　心電図も画像診断の一つですが、国循のCCU勤務時代にお世話になった先生方の多くは、患者さんの冠動脈造影の所見が、主要血管の狭窄度には直接関係のない側副血行路のような情報も含めて、完全に頭に入っているようでした。おそらく、画像の「所見」を記憶されているのではなく、冠動脈造影の「映像」自体が頭に入っているのだと思っています。

　私もこのようなフォトメモリーに救われたことが一度あります。大学入試の数学のテストで、「aのx乗を微分せよ」との問題が出たときのことでした。これは当時の高校の数学の先生が、授業中に実に鮮やかに数式を展開されて、その華麗さに感動（？）すら覚えた記憶があるからです。その先生は「aのx乗をeのy乗として」から始められて、黒板の左上から右下まで数式を展開して、一気に板書されました。その途中で、後ろ向きにチラリと生徒のほうを見て、にっこりと笑われたことも鮮明に思い出しました。解答用紙には、頭に浮かんだ板書の結果をひたすら書き写していけばよいだけでした。記憶の中には黒板の手前の教卓の上の花瓶や、その花瓶に活けられた百合の花までもが蘇ってきました。今となってはたいへん懐かしい火事場の馬鹿力的な思い出ですが、あれからそのようなフォトメモリーに助けられたことはありません。

第27問

重要度 ★★★★☆　中級編

次の心電図について重要な所見を述べてください。

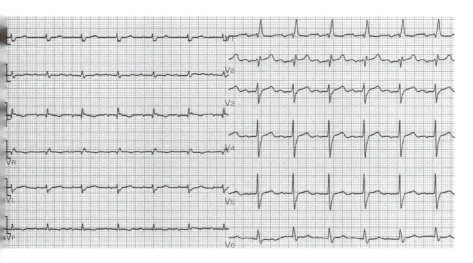

高度房室ブロックへの移行に注意が必要

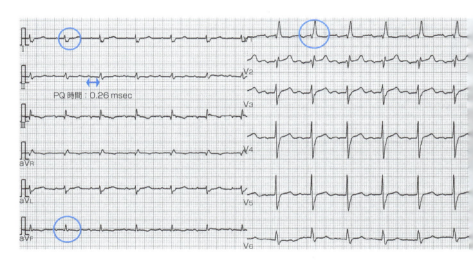

PQ時間：0.26 msec

　右脚ブロックに右軸偏位を呈した左脚後枝ブロック合併例ですが、さらにPQ時間が延長しており、1度房室ブロックの合併も認めています。高度房室ブロックへの移行に注意する必要があります。

第28問

重要度 ★★★★

中級編

単純な脚ブロックでしょうか？

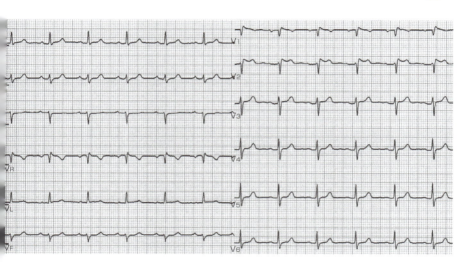

解答：ブルガダ型心電図（saddle-back 型）

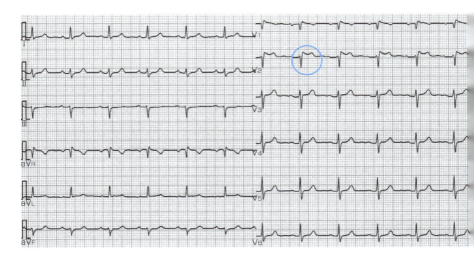

　ベルギーの医師ブルガダ（Brugada）が、V_1〜V_2 に右脚ブロック様の波形と特徴的な ST 上昇を伴う症例に、心室細動による突然死がみられることを報告し、現在このような特徴をもつ心電図はブルガダ型心電図と呼ばれています。

解説

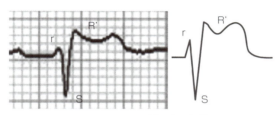

saddle-back 型

　設問のようなブルガダ型心電図は、V₂のような、馬の鞍のような外観を示すことから saddle-back（馬の鞍）型と呼ばれています。

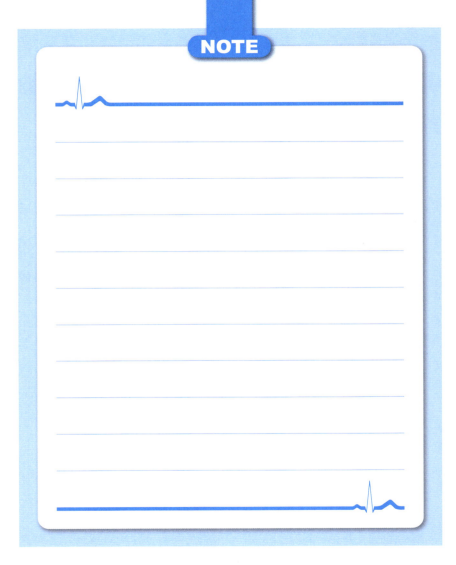

第29問

重要度 ★★★★　中級編

ノーヒントです。

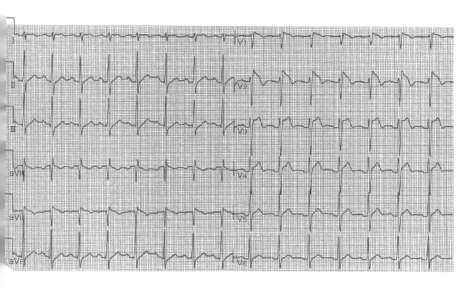

解答:ブルガダ型心電図(coved型)

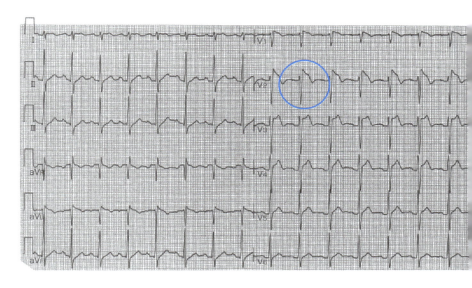

　設問の心電図も V_1〜V_2 の右脚ブロック様の変化と同誘導に特徴的な ST 上昇を認めますが、前問とはややパタンが違います。

中級編

解説

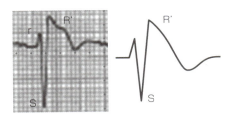

　これもブルガダ型心電図ですが、V_2のST上昇パタンは谷あいのような外観を示すことからcoved（渓谷）型と呼ばれています。

　一般的には、coved型のほうがsaddle-back型よりも心室細動発作を起こす危険が高いとされています。

ポックリ病

　ブルガダ症候群は 1992 年に報告された疾患です。実は、その 2 年前の 1990 年に、当時在籍していた大学病院の関連病院の元木賢三先生から「"いわゆる"ポックリ病からの生還例と思われる 1 例」という症例報告がなされています（心臓 1990：22：1221-6）。ポックリ病という表現の曖昧さや、失神の原因が解明されていなかったことから、大学内での評判は芳しくはなかったのですが、V_1～V_2 の ST 上昇を持続的に認めている心電図（下図）は、今思えばブルガダ症候群にほかなりません。

　地方の国立病院からの 1 例報告であることから、なんとなく忘れていた論文でしたが、新たな疾患体系が確立したために「あの症例がそうであったか」とリマインドされたケースでした。その意味でも、症例報告の重要性を再認識したエピソードでした。

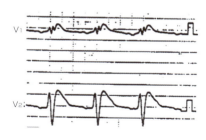

第30問　重要度 ★★★★　中級編

最も重要と思われる所見はなんでしょうか？

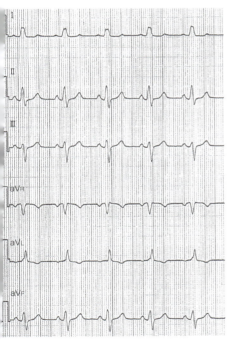
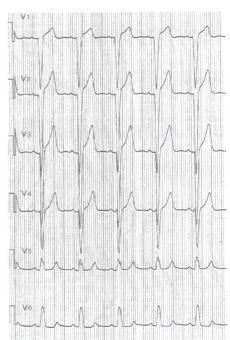

解答：完全左脚ブロック

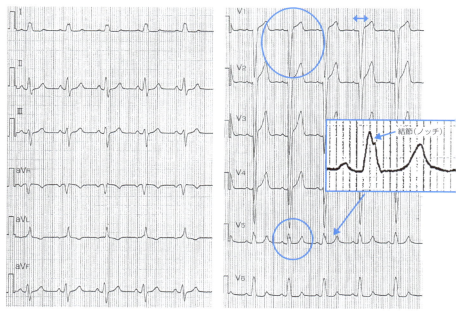

V₅、V₆誘導での結節性（ノッチ）のR波は、左脚ブロックの心電図の特徴的なパタンです。

さらに、V₁、V₂誘導での幅の広いS波（時にはr波を認めずQ波）と陽性のT波を認めることから、左脚ブロックと確信がもてます。

また、右脚ブロックのときと同様、QRS幅が0.12秒（記録紙の目盛りで3マス）以上あれば完全左脚ブロック、0.12秒未満であれば不完全左脚ブロックと呼びます。

したがって、本問の場合は完全左脚ブロックとなります。

第31問

重要度 ★★★★★ 中級編

ノーヒントです。

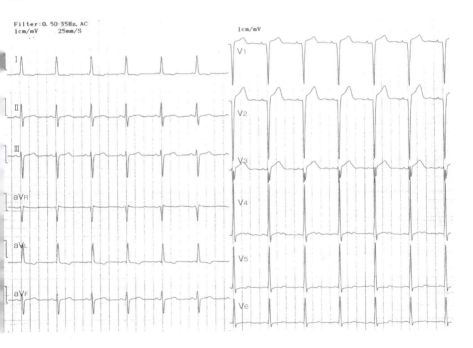

解答：不完全左脚ブロック

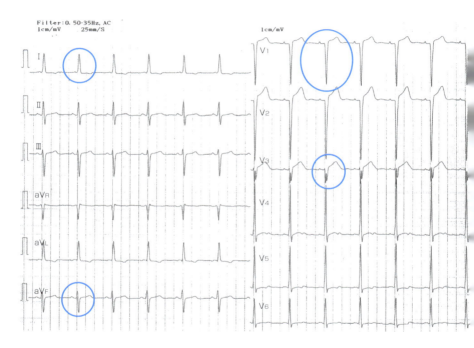

　前問と同様に、左軸偏位と V1 で深い S 波を認めます。V5、V6 誘導には典型的な結節性 R 波は認めませんが、V3 には結節を認めます。

　不完全左脚ブロックと診断しましたが、臨床的に不完全左脚ブロックを認めることはまれです。

第32問

重要度 ★★★★

中級編

最も重要と思われる所見はなんでしょうか？

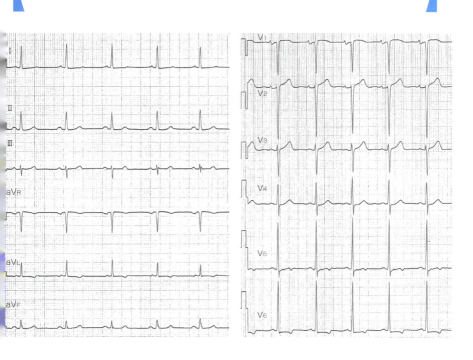

第32問

左室肥大（高血圧）

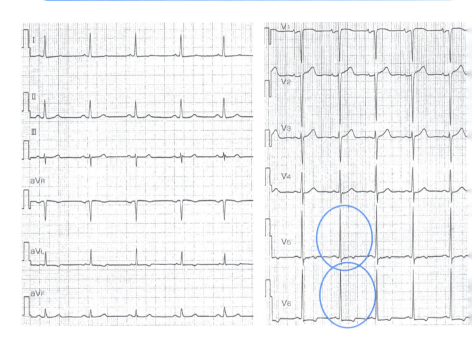

　この心電図には、①肥大側誘導におけるR波高の増高、②ST-T変化、という特徴が認められます。
　これは、右室・左室を問わず、心室の肥大を表す一般的心電図所見です。

Sokolov-Lyon の基準

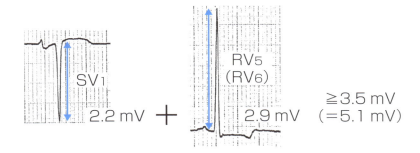

これらの所見の中でも、陽性率が高く、偽陽性率が低い項目はQRS波の高電位差であるため、心室肥大の心電図診断基準としては、QRS波の電圧基準(voltage criteria)が広く用いられています。

左室肥大に関しては、Sokolov-Lyon の基準と呼ばれている、
　　$SV_1 + RV_5$（または RV_6）≥ 3.5 mV（目盛り上 35 mm）
の基準が汎用されています。

COLUMN

高血圧と減塩

　左室肥大の最も一般的な原因は高血圧です。高血圧の成因に関しては、多くのメカニズムが考えられていますが、高血圧に関与する最大の因子は「遺伝と食塩」に尽きる、と言われる先生もいます。

　一方、多くの薬物が降圧薬として市販されていますが、予防に勝る治療はありません。ところが、食塩摂取を減らすためには、ひたすら「減塩」の掛け声しかあがってきません。ただ、ライフスタイルを大きく変えることはなかなか難しく、減塩の重要性はわかっているのに、実行し続けることは至難の業ともいえそうです。

　そこで、発想を転換してみて、人工甘味料があるのですから、人工塩味料の開発があってもいいのではないでしょうか。人工甘味料は、肥満対策の一部として市民権を得ていますので、食品関連企業の方々には、ぜひ人工塩味料の開発にあたっていただきたいと思います。同様に、禁煙補助薬があるのですから、減塩補助薬があってもいいのではないでしょうか。製薬企業の方々には、ぜひ減塩補助薬の開発にあたっていただきたいと思います。個人の嗜好を大幅に変えることを自助努力だけに求めず、従来と異なった視点に立たないかぎり、生活習慣の改善は難しいものと思っています。

第33問

重要度 ★★★★ 中級編

ノーヒントです。

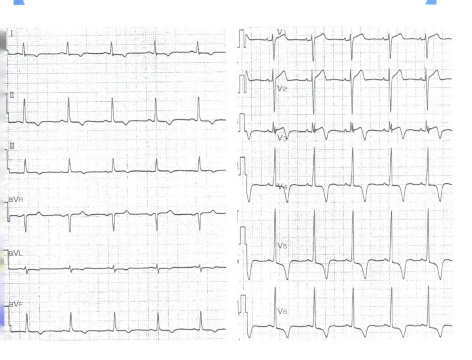

第33問

左室肥大(肥大型心筋症)

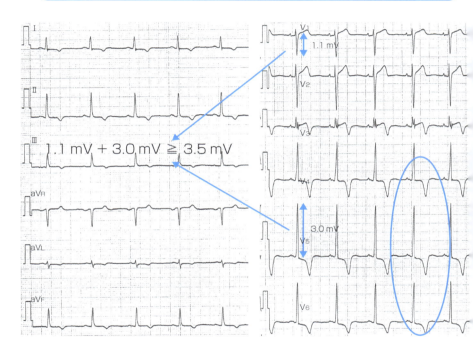

本心電図記録でも、①肥大側誘導におけるR波高の増高($SV_1 + RV_5 \geqq$ 3.5 mV)、②ST-T変化、が認められます。

中級編

ストレインパタンにも注意を

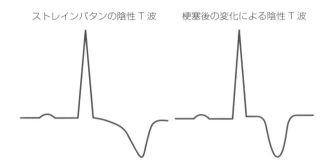

ストレインパタンの陰性 T 波　　梗塞後の変化による陰性 T 波

　ただし、前問の基礎疾患は高血圧でしたが、本設問では基礎疾患は心尖部の肥大型心筋症です。

　肥大型心筋症の心電図変化では、ST 変化や T 波の陰性化の程度などが、高血圧や弁膜症などの左室負荷に伴う肥大の心電図変化よりもバリエーションが大きいようです。

　左室肥大時の ST-T 変化としては、ストレインパタンをとることが有名です。これは、ST の低下に陰性 T 波が続くものですが、この陰性 T 波は、左右非対称です。

　心筋梗塞症後の陰性 T 波（冠性 T 波（coronary T wave））が左右対称性であることと、対をなして記憶すべき要点です。

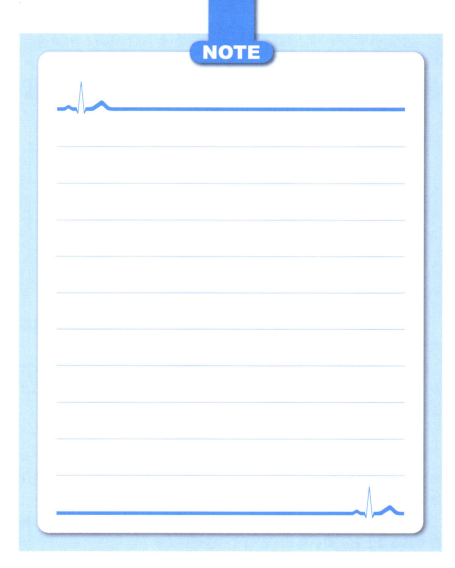

第34問

重要度 ★★★☆ 中級編

この心電図を見てどのような診断をしますか？

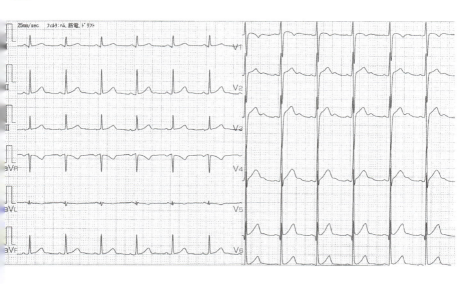

高電位差だけでは左室肥大ではない！

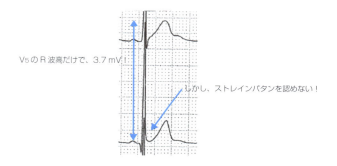

V₅のR波高だけで、3.7 mV

しかし、ストレインパタンを認めない！

　前問、前々問同様に、本設問の心電図も SV₁＋RV₅≧3.5 mV という、左室肥大の高電位差の基準の一部を満たしています。

　しかし、本計算式の基準は電位の基準を示しただけで、これだけでは高電位差(high voltage)という診断のみにすぎません。

　高電位差の基準(voltage criteria)にストレインパタンが合併した場合に、初めて左室肥大と診断すべきです。

　この心電図も、21歳のスポーツマンの心電図で、心エコー図検査上も特筆すべき所見はありません。

第35問

重要度 ★★★★　中級編

最も重要と思われる所見はなんでしょうか？

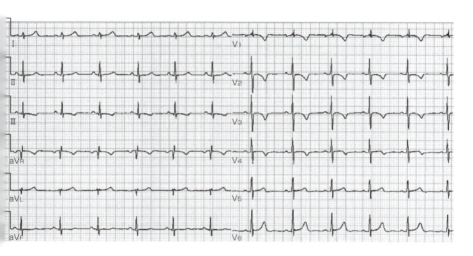

第35問

右室肥大

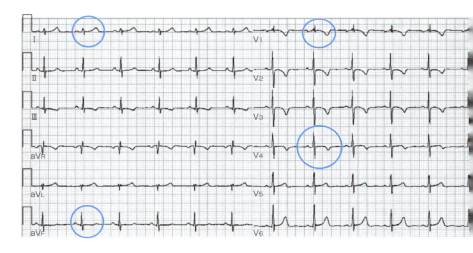

 V₁誘導のR/S比が1より大きく、移行帯もV₄までと、時計軸回転を示すことから右室肥大を疑います。

 右室の肥大が生じると、起電力が右前方に向い、通常右軸偏位を呈し、V₁のR/S比が1より大きくなるとともに、T波が平低化から陰性化します。

第36問

重要度 ★★★☆　中級編

最も重要と思われる所見はなんでしょうか？

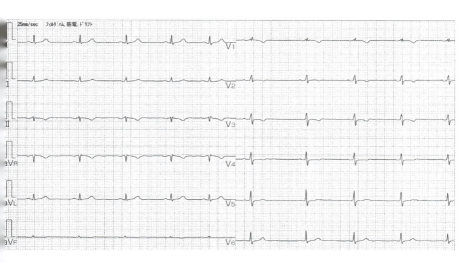

第36問

低電位差

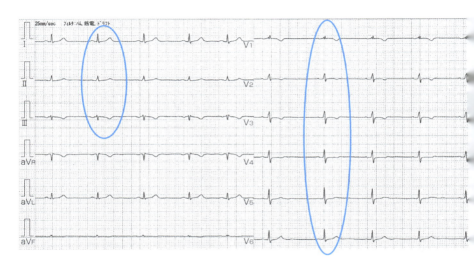

　高電位差の概念にはすでに言及したとおりですが、これに対をなす状況として、低電位差という概念があります。

　標準肢誘導（Ⅰ、Ⅱ、Ⅲ）の各誘導の電位が 0.5 mV 以下のとき、または胸部誘導のすべての電位が 1 mV 以下のときにも、低電位差と診断します。

　本問では両方の基準を満たしています。

参考図：四肢の浮腫

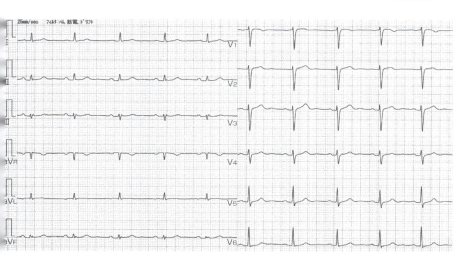

　拡張型心筋症や広範な心筋梗塞症では、残存する生存心筋量の少なさから、心臓の起電力低下に基づく低電位差を認めます。

　心不全やネフローゼ症候群のように下腿の浮腫を呈する病態、または著明な肥満や心タンポナーデおよび肺気腫など、電極への電気的距離がなんらかの形で大きくなる病態でも低電位差を呈します。

　本図は四肢に浮腫を認めた患者さんの心電図で、胸部誘導の電位に比べて、肢誘導の電位が低くなっています。

COLUMN

ほら吹き男爵

　運動負荷試験を実施した患者さんの中で、冠動脈病変を思わせる胸痛と、広範囲の誘導でST低下を認め、その程度も大きかったことから重症の心電図変化を呈する方がいました。冠動脈造影上もしかるべき重症病変があり、抗狭心薬としてβ遮断薬、Ca拮抗薬、硝酸薬などを十分量に使うことで、入院中は虚血発作をコントロールできるのですが、退院して自宅に戻ってしばらくすると、不安定狭心症用の症状を呈して再入院することを繰り返していました。

　ただ、再入院の頻度があまりにも高くなってきたので、不審に思った主治医が、外来受診時に抗狭心薬の血中濃度を測定したところ、軒並み感度以下の低値であり、処方された薬物をまったくといっていいほど内服していないことが確認されました。周囲の関心や同情を求めて、検査や入院を要する病気をつくりだす行為を繰り返す症例が、「ミュンヒハウゼン症候群(ほら吹き男爵症候群)」として報告されており、この患者さんも、おそらく同様の病態であったと推測しています。

　詐病が疾患と確定診断されることで見返りとして経済的利益を得るのに対して、本症候群は関心や同情といった精神的利益を得る点が大きな違いとされています。

第37問

重要度 ★★★★

最も重要と思われる所見はなんでしょうか？

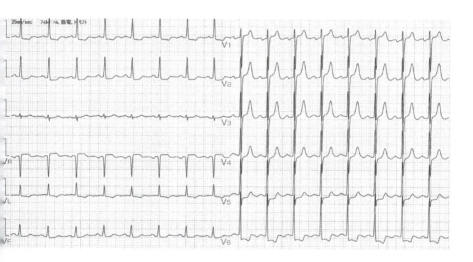

第37問

虚血発作中の心電図

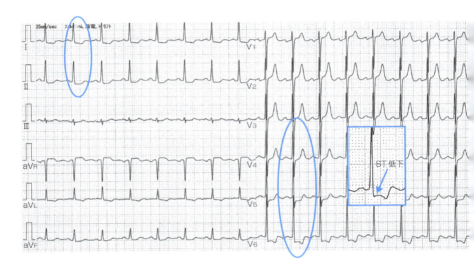

　Ⅰ、Ⅱ、V₄〜V₆にST部分の低下を認めます。

　本問は発作中の心電図変化で、変化は主にST部分の低下として認められます。

参考図：J点

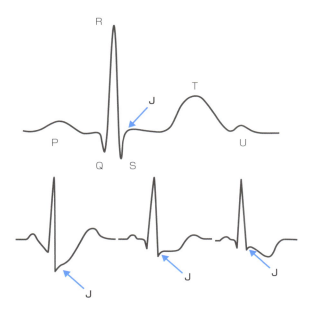

　STの偏位の評価は通常QRS波形の終末でT波との接合部分(junction)であるJ点で行います。

　STの低下は大きく3つのパタンに分けられますが、水平型または下降型を診断的意義がある虚血パタンと考えるべきです。

　下段には左から、上昇型(up-sloping)、水平型(horizontal)、下降型(down-sloping)のST下降時のJ点を示しました。

第37問

参考図：較正 1/2

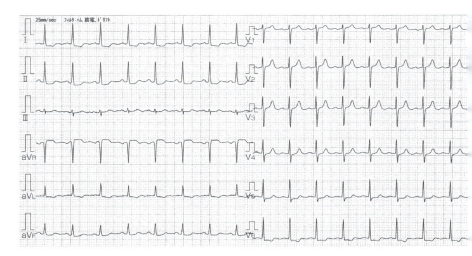

　本設問の胸部誘導の記録がスケールアウトしたため、心電計の設定により、自動的に較正が 1/2 で記録された心電図を示します。

　V₄〜V₆ の ST 低下が大きく過小評価されてしまい、「重症性」、「緊急性」が希薄になっています（初級編第 01 問参考図参照）。

第38問

重要度 ★★★★☆　中級編

最も重要と思われる所見はなんでしょうか？

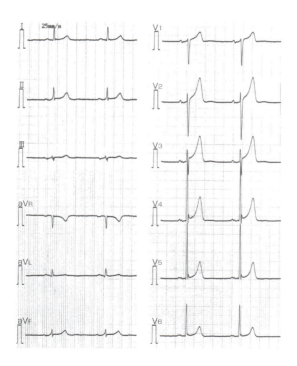

ST上昇（早期再分極）

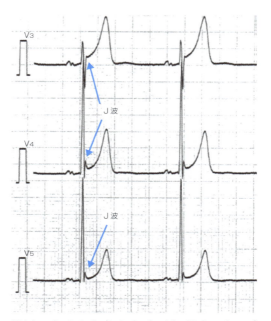

　STの上昇に着目できるかどうかが重要なポイントです。
　早期再分極によるSTの上昇は、上に凹のタイプのST上昇から陽性T波への移行が特徴です。
　同時に、QRS波下行脚にノッチ（結節）があることにも目が向くとよいでしょう。このQRS直後の接合部（J点）のノッチをJ波と呼びます。

　近年、このJ波が突然死のリスクを示すとする考えがあり、注目されています。

J波について

　J波は健常人でも認める所見ですので、下壁（Ⅱ、Ⅲ、aVF）の2誘導以上、または側壁（Ⅰ、aVL、V4〜V6）の2誘導以上に0.1 mV以上のJ波がある場合に有意な所見として取り上げます。

　なお、J波にはノッチ状のJ波（左図）とスラー状のJ波（右図）があります。

COLUMN

通勤苦

　本書を、通勤あるいは通学の移動中に読まれている方々もおられるかもしれません。通勤に関していうと、著者のバックグラウンドは循環器内科なので、いつでも救急対応がとれるようにと、職住接近を意識して基本的には職場から 1.5 km の範囲内での居住を心がけてきました。したがって、長時間電車に揺られて……といった通勤苦の経験はほとんどありません。

　実際、医師として和歌山医大時代に最初に受けもった心筋梗塞の患者さんからは、日曜日の夜に当直の指導医から呼び出されたものでした。台風かと思われるような大雨の中、自宅を出てもタクシーを拾うこともできず、結局、嵐の中を走って病院まで駆けつけることができました。患者さんは主訴が腹痛の下壁梗塞の女性で、初診の医療機関でブチルスコポラミンを投与されたところ容態が悪化しての搬送でした。患者さんのお名前も記憶しており、毎日 12 誘導心電図の代表 1 心拍を台紙に貼って経時変化を確認したことや、初めてのリドカインの静脈内投与など忘れられません。

　国循時代は病院に至近のレジデントハウスと官舎住まいであり、岩手医大時代も現在の京都大学でも徒歩での通勤圏に暮らしています。通勤苦がないというのはありがたく、贅沢な思いではありますが、まとまった読書時間がない現状では、通勤時間を読書にあてられることにいささかの羨ましさも感じています。

第39問

重要度 ★★★★ 中級編

最も重要と思われる所見はなんでしょうか？

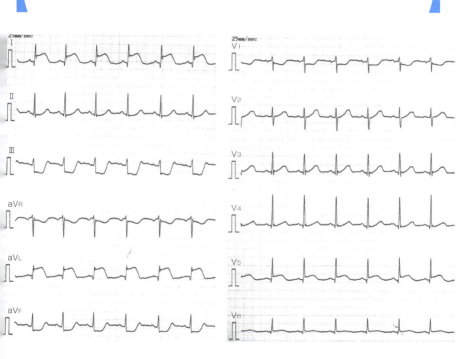

第39問

ST 上昇（虚血性）

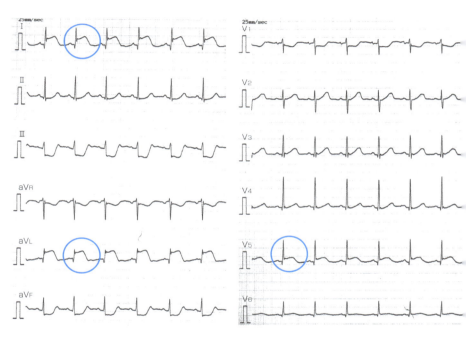

　心内膜下虚血は心電図上の ST 低下として反映されますが、ST 上昇は心外膜も含めた貫壁性の重症虚血時に認められます。いわゆる冠攣縮性狭心症（異型狭心症と呼ばれる一部の狭心症）、および心筋梗塞発症時の急性期です。

　ST の低下した誘導からは冠動脈の責任血管を推測できませんでしたが、ST 上昇ではその上昇した誘導から責任冠動脈の推測が可能です（次々ページ参照）。

　本設問では、Ⅰ、aVL、V5、V6 誘導の ST が上昇しているので、側壁から高位側壁の貫壁性の急性期の虚血を示し、回旋枝領域の病変を示唆します。

中級編

心筋梗塞の心電図変化の時間経過

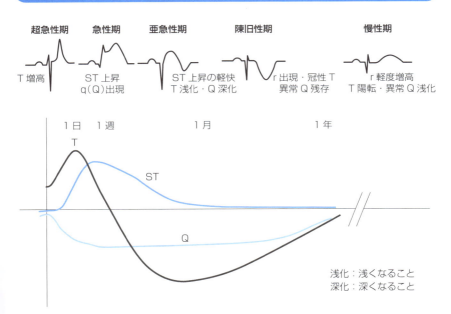

浅化：浅くなること
深化：深くなること

　心電図変化は、発症後の時間経過から、①数時間以内の超急性期、②数時間〜数日の急性期、③1カ月以内の亜急性期、④1カ月以上の陳旧性期、⑤半年〜1年以上経過した慢性期、に分けて考えることができます。

梗塞部位の推定

梗塞部位	異常Q波・ST上昇出現誘導											
	I	II	III	aVR	aVL	aVF	V1	V2	V3	V4	V5	V6
前壁中隔							●	●	●	●		
前側壁	●				●					●	●	●
広範前壁	●				●		●	●	●	●	●	●
側壁	●				●						●	●
高位側壁	●				●							
後壁							●	●				
下後壁		●	●			●						
下壁		●	●			●						

●：ST上昇、●：高いR波(R/S＞1)

　異常Q波が出現(STが上昇)する誘導から梗塞部位の推定が可能で、同時に冠動脈の責任血管も推定可能です。

　ただし後壁梗塞の場合は鏡像関係からQ波はR波の増高(R/S＞1)になり、ST部分は上昇ではなく低下を示すことに注意せねばなりません。

最も重要と思われる所見はなんでしょうか？ 胸部誘導に注目してください。

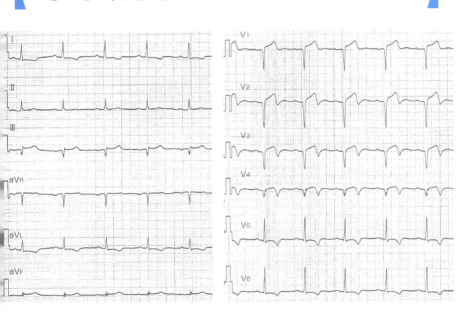

亜急性期以降の心筋梗塞

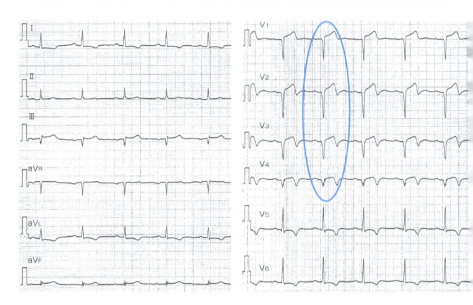

　異常 Q 波を V1〜V4 誘導に認め、ST 部分は若干上昇していますが基線近くにまで戻り、冠性 T 波と呼ばれる左右対称性の陰性 T 波が形成されていることから、亜急性期以降の心筋梗塞の心電図変化です。

　Q 波は ST 上昇と同じく心筋梗塞症の梗塞部位を反映し、V1〜V2 は主に中隔部分を、V3〜V4 は主に前壁部分を反映します。

参考：心筋梗塞の異常 Q 波

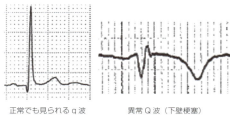

正常でも見られる q 波　　　異常 Q 波（下壁梗塞）

　心筋梗塞に特徴的な異常 Q 波は、正常でも見られる q 波とは異なり、幅が 0.04 秒（1 mm 方眼で 1 マス分）以上で、深さが R 波の 1/4 以上あるものとされています。
　図はいずれも Ⅲ 誘導の心電図記録です。

COLUMN

動脈硬化と内胸動脈

　重症の虚血性心疾患者さんでは、時として冠動脈へのバイパス術が必要になります。その時に用いられる血管が内胸動脈です。内胸動脈は胸骨の裏側を縦走しており、位置的に心臓に近いこと、また、冠動脈が重症の三枝病変であっても、内胸動脈には動脈硬化所見がみられることはまれなために、バイパスグラフトとして広く利用されています。心臓外科医は、内胸動脈を「神様の贈り物」と表現するくらいに、冠疾患者さんには福音となる存在です。

　一方、古くから糖尿病や高脂血症などが動脈硬化のリスクとして定着していますが、同じ濃度の血糖や、同じ濃度のLDLコレステロールの血液が体内を流れていても、冠動脈には重症の動脈硬化が認められ、内胸動脈には動脈硬化が認められないという事実はどう解釈すべきでしょう。糖尿病や高脂血症が真の動脈硬化のリスクということさえ疑問に思わせます。

　こう考えると、動脈硬化の原因もまだまだわかっていないのかもしれません。また、再生医療の分野では、血管の再生に関する研究も進んでいるようですが、研究者の先生方には、内胸動脈のように動脈硬化に抵抗するような性質をもつ血管を再生させていただきたいと思っています。

第41問

重要度 ★★★★ 中級編

最も重要と思われる所見はなんでしょうか？ これも胸部誘導に注目してください。

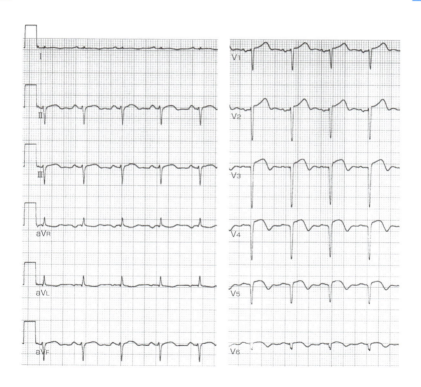

広範前壁梗塞

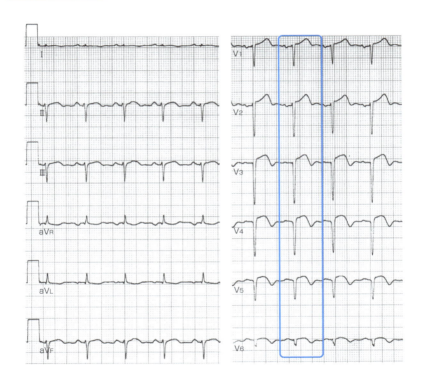

V₁〜V₆まで広い範囲にQ波を認めるとき、広範前壁梗塞と表現します。
広範囲な前壁梗塞では心室瘤をつくる頻度が高いとされています。
基本的には左前下行枝の近位側の病変と考えられます。

第42問

重要度 ★★★★ 中級編

最も重要と思われる所見はなんでしょうか？

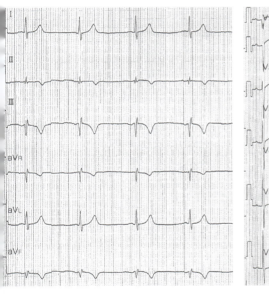
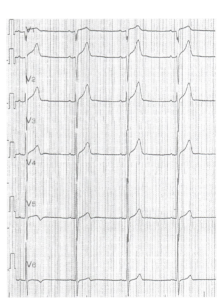

陳旧性期の下壁梗塞

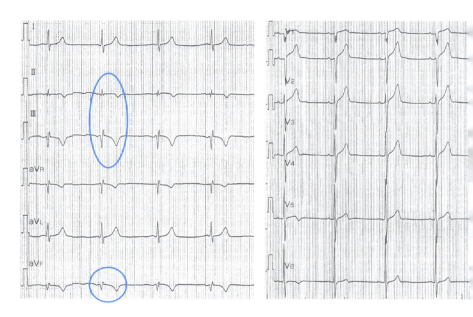

　Ⅱ、Ⅲ、aVFに異常Q波と冠性T波を認めることから、陳旧性期の下壁梗塞の心電図変化です。
　基本的には右冠動脈の病変を考えます。

第43問　重要度 ★★★★☆　中級編

最も重要と思われる所見はなんでしょうか？

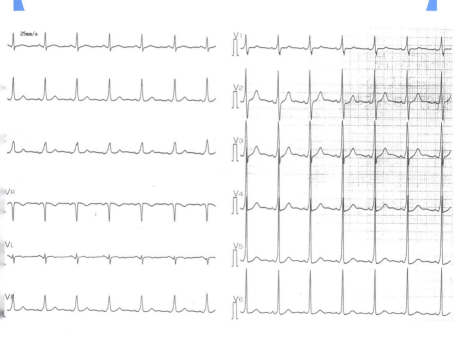

ヒント：PとQRSの間には……

解説

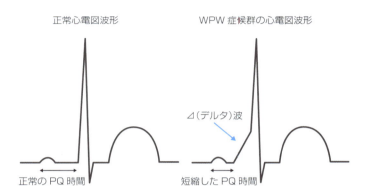

　Wolff、Parkinson、White の 3 名の医師が、PQ 時間の短縮に脚ブロックを伴い（今思うと脚ブロックではなく、特有のデルタ波とそれに伴う QRS 波形の異常ですが）、頻拍発作を呈する症例報告を行い、3 名の医師の頭文字を取り WPW 症候群と呼ばれています。

中級編

解説続き

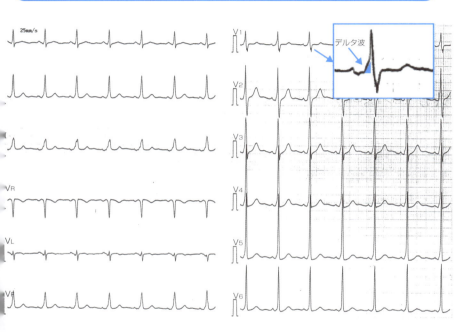

本心電図はまさにそれです。

PQの短縮とデルタ波が特徴ですが、いくつかのパタンがあります。

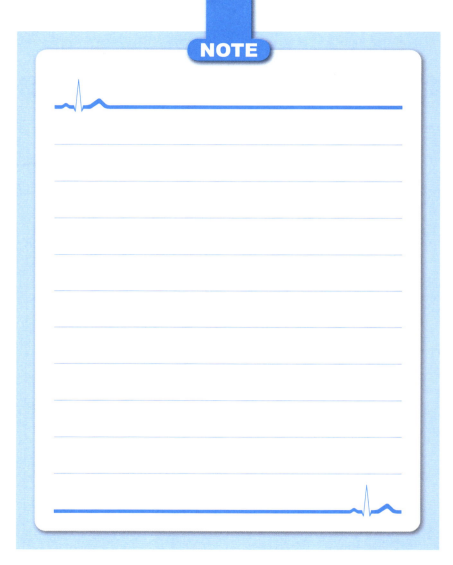

第44問

重要度 ★★★★　中級編

最も重要と思われる所見はなんでしょうか？
ノーヒントです。

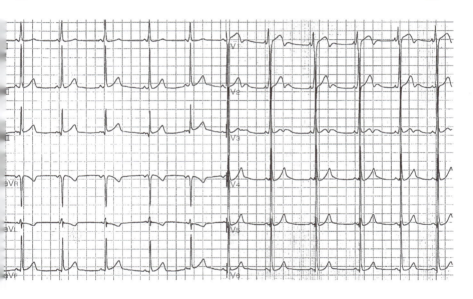

第44問

解説

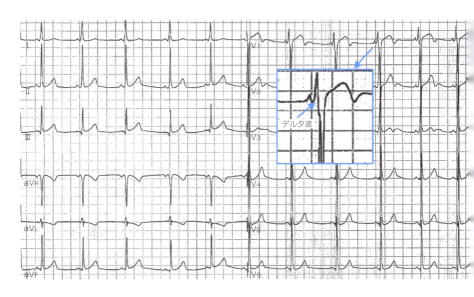

デルタ波

　前問とはずいぶん波形が違いますが、これも WPW 症候群の心電図です。

　洞結節からの電気刺激は、①房室結節から心筋全体に伝播する正常伝導と、②心房から副伝導路である Kent 束を経由して心筋を脱分極させる副伝導、の2つの経路を介するため、WPW 症候群の心電図波形は両伝導の融合波形になります。

解説続き

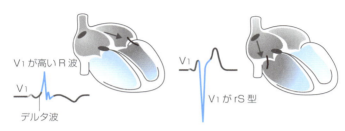

Kent束が左房-左室間に存在するため
左室の興奮が速く、右脚ブロックパタン

Kent束が右房-右室間に存在するため
右室の興奮が速く、左脚ブロックパタン

　すなわち、正常伝導と副伝導経由の2つの経路を介する融合波形が形成されるので、副伝導路であるKent束の部位や伝導速度および両伝導からの心室への興奮比率などによって心電図波形は変化します。

　第43問ではV_1(V_2)という右側胸部誘導で、高いR波を示しており、本問ではrS波を示しています。これは、上図のようにKent束の部位の違いによるものです。

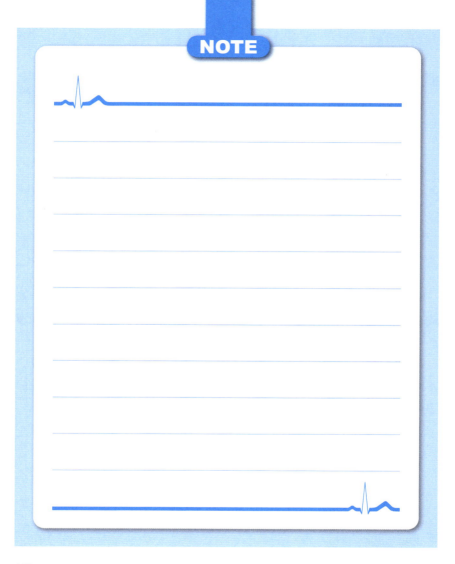

第45問

重要度 ★★★★ 中級編

ノーヒントです。

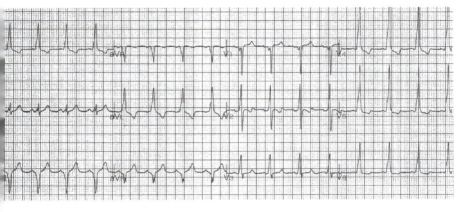

第45問

解説

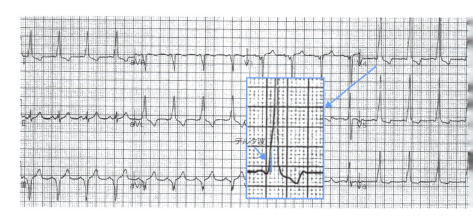

　WPW症候群の副伝導路は心房と心室を直接結ぶKent束で、繰り返しになりますが、これにより早期興奮を示すデルタ波が形成されます。

解説続き

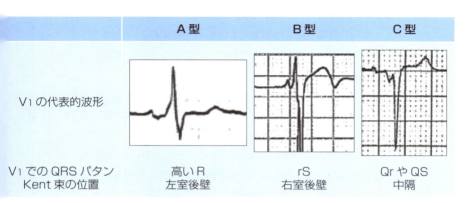

WPW症候群の古典的な分類では、V1で高いR波を示すものをA型、rS波を示す(少なくともはっきりしたqやQはない)ものをB型、さらにQrまたはQSを示すものをC型としていました。

この分類によりKent束の位置がおおむね、A型では左室後壁に、B型では右室側壁に、C型では中隔部にあると評価していました。

WPW症候群での注意

　WPW症候群は、デルタ波の形成によるPQ時間の短縮と脚ブロック様の心電図波形が特徴的な早期興奮症候群の一病型ですが、ほかにも先天性心疾患に合併することがあることと、頻脈性の不整脈を合併することが重要です。

　先天性心疾患では、Ebstein奇形との合併が有名で、その5〜20%にWPW症候群（中でもB型）が合併するといわれています。また、WPW症候群に合併する不整脈の頻度としては、発作性上室性頻拍が約50%、発作性心房細動が約15%、発作性心房粗動、心房期外収縮の頻発、心室期外収縮の頻発が、おのおの約5%とする報告もあります。中でも心房細動は副伝導路を順行するため、デルタ波を伴った幅の広いQRSの頻脈となり、心室頻拍と鑑別が困難なことから偽性心室頻拍とも呼ばれることもあります。しかも、WPW症候群に伴う心房細動は、心室細動に移行することもあるので、重症感をもって臨むことが必要です。

第46問

重要度 ★★★☆ 中級編

最も重要と思われる所見はなんでしょうか？
ノーヒントです。

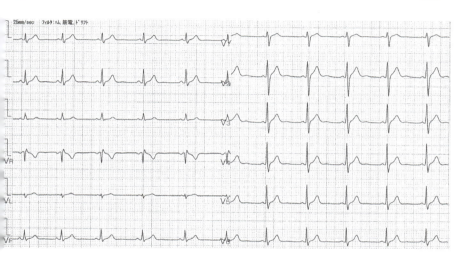

第46問

解説

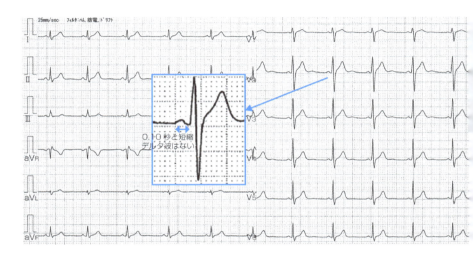

　PR間隔は0.11秒以内に短縮していますが、QRS波とT波には異常がなく、PR間隔が短縮しただけの心電図波形です。

　心房から房室結節下部またはHis束へ短絡するJames束を副伝導路とする早期興奮症候群がLGL症候群です。

　WPW症候群との最大の相違は、デルタ波がないことです。

中級編

解説続き

早期興奮症候群
(PQ 時間≦0.11 秒)
- WPW 症候群(デルタ波あり)
- LGL 症候群(デルタ波なし)

　PR 間隔は 0.11 秒以内に短縮し、心房(房室結節周辺)から心室への副伝導路を介してより早期に心室を興奮させる LGL 症候群や WPW 症候群のような病態を早期興奮症候群とよび、しばしば頻拍発作を合併します。

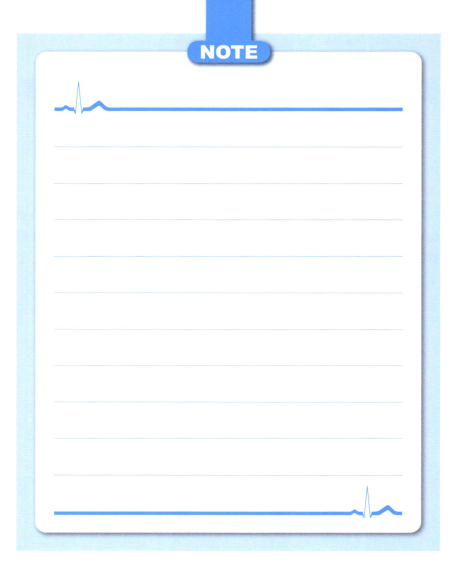

第47問

重要度 ★★★★ 中級編

不整脈の診断を問う問題です。

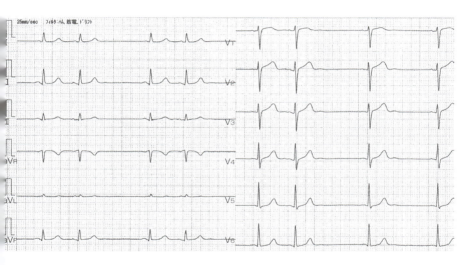

第47問

解説

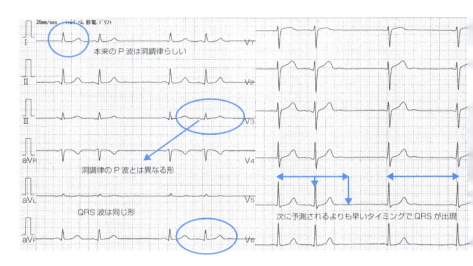

　洞由来と考えてよさそうなP波と、幅の狭い正常のQRSを認めることから、基本調律は洞調律と考えられます。

　さらに、肢誘導の2、4拍目、胸部誘導の2拍目には、次に予測されるよりも早いタイミングでQRSが出現しています。

　しかも、そのQRS幅は狭いことから、電気刺激はHis束以下の刺激伝導系を正常に伝わったものと考えられます。

　したがって、心電図診断は上室期外収縮と考えます。

第48問

重要度 ★★★★☆　中級編

不整脈の診断を問う問題です。

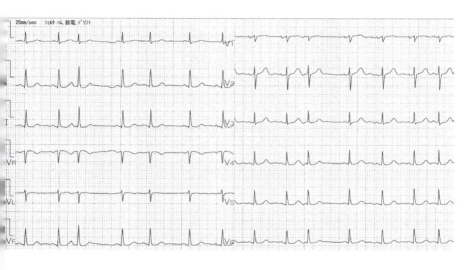

ヒント：P波の形をよく見てください

第48問

解説

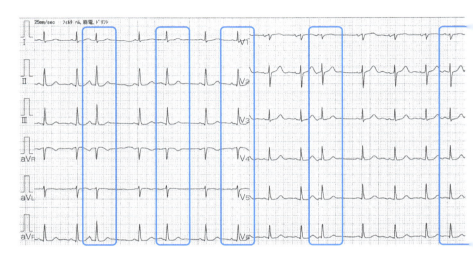

　基本調律は洞調律と考えられますが、肢誘導の 3、5、7 拍目、胸部誘導の 3、7 拍目には、次に予測されるよりも早いタイミングで QRS が出現しており、その QRS 幅は狭いことから、上室期外収縮と考えます。

中級編

加えて、多源性とも読み取れる

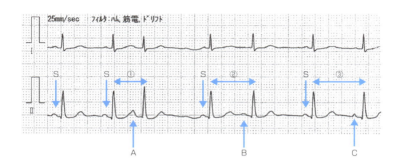

　肢誘導の3、5、7拍目のP波についてよく見てみると、3拍目のAのP波は先行するT波の中に埋没しており、5拍目のBはやや平低で、7拍目のCは幅狭です。

　また、連結期(期外収縮直前の正常収縮と期外収縮との間隔)もAの連結期①は最も短く、Bの②は次いで短く、Cの③は最も長くなっています。

　このように、P波の形と連結器が異なる期外収縮の起源が3つ存在することが明らかで、多源性の上室期外収縮の心電図と判断できます。

胸部誘導からも異所性P波は見い出せる

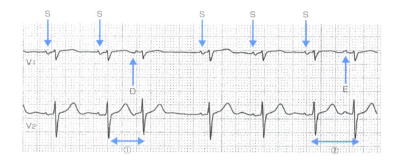

 なお、胸部誘導にも洞調律とは異なるDとEの2つの異所性P波を認め、DとEの連結期は、おのおのAの連結期①と、Bの連結期②に対応しています。

第49問

重要度 ★★★★☆ 中級編

肢誘導に見られる不整脈の診断を問う問題です。

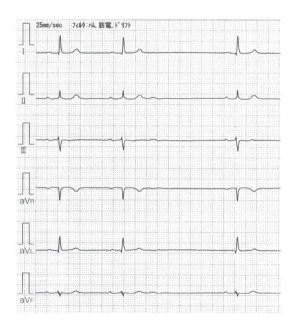

第49問

洞性の徐脈……？

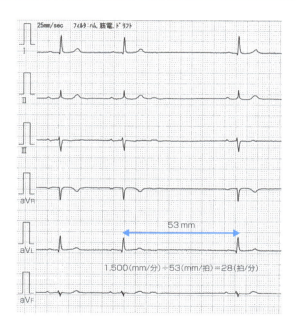

　基本調律は洞調律と考えられますが、2拍目と3拍目に長いポーズがあります。このことから後述する洞性の徐脈性不整脈を疑います。しかし、基線部をよく見ると……。

解答:非伝導性上室期外収縮

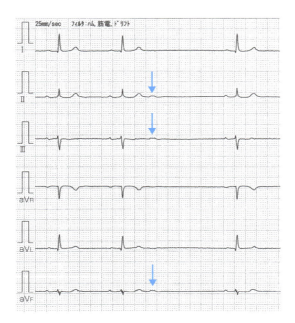

　基線をよく見ると、↓部分に洞性のP波とは異なる異所性のP波を認め、しかも次に予測されるよりも早いタイミングで出現しています。
　このことから、上室性の異所性起源からの刺激が発生したことは明らかですが、QRS波形を生じなかった。すなわち、上室期外収縮の異所性P波にQRSが伴わなかったものと考えられます。
　このような心室興奮を伴わない上室期外収縮を blocked SVPC(premature supraventricular contraction)と呼びます。
　あまりよい日本語はないのですが、ここでは非伝導性上室期外収縮と呼びます。

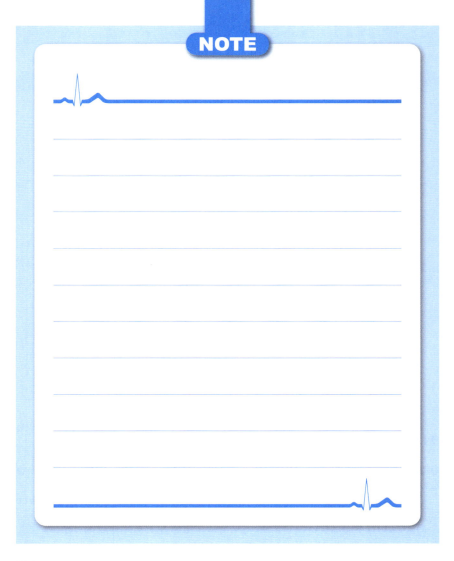

第50問

重要度 ★★★★☆　中級編

不整脈の診断を問う問題です。

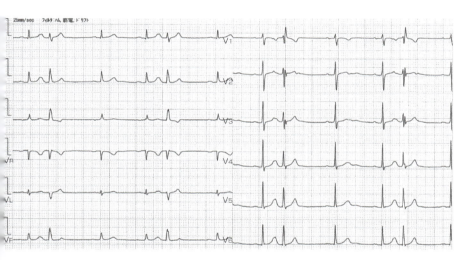

心室期外収縮……？

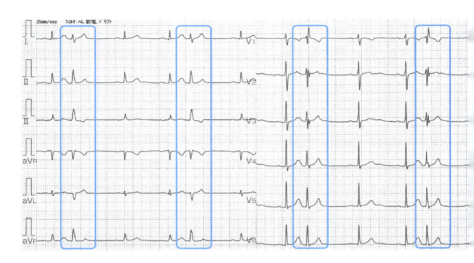

　基本調律は洞調律と考えられますが、肢誘導・胸部誘導ともに第2拍目と第5拍目に幅の広いQRSがあり、上室期外収縮よりも後述する心室期外収縮を考えたいところです。しかし、よく見ると……。

解答：変行伝導を伴う上室期外収縮

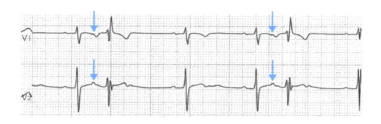

　よく見ると、基線の↓部分に次に予測されるよりも早いタイミングで異所性のP波を認めています。すなわち、上室期外収縮でありながら、狭いQRS幅ではなく、一見、心室期外収縮を思わせる幅の広いQRSを示しています。

　実は、上室期外収縮でも、電気刺激が伝播するタイミングが心室の相対不応期に伝導されるとき、心室内伝導に遅れが生じて幅の広いQRSを生じることがあります。

変行伝導を伴う上室期外収縮と心室期外収縮の鑑別

	QRSパタン	2段脈	期外収縮後の休止	連結期	先行RR間隔
変行伝導を伴う上室期外収縮	右脚ブロックパタンが普通	なりにくい	非代償性が多い 一般には短い	変動性	一般には長い
心室期外収縮	左脚ブロックパタンが多い	なりやすい	代償性が多い 一般には長い	固定性	一般には短い

　この上室期外収縮の変行伝導による幅広のQRS波形は、心室期外収縮との鑑別が問題になりますが、主な鑑別点を表にまとめました。

中級編

参考図

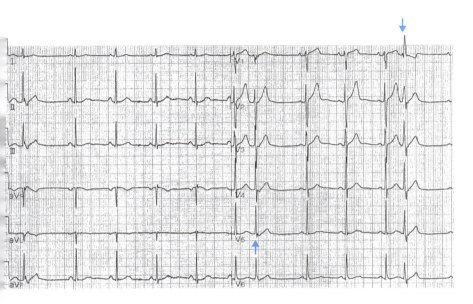

　同じ患者さんであっても電気刺激が不応期に入るタイミングによって、通常の上室性の期外収縮の形をとる場合と、変行伝導をとることもあります。

　↑の QRS 波はほぼ通常の上室期外収縮ですが、↓も、右脚ブロックパタンであることから、心室期外収縮よりも変行伝導を伴う上室期外収縮と考えられます。

COLUMN

期外収縮という名称

　期外収縮とは、あくまでも次に予期される心拍よりも早期に出現した収縮をいいます。日本語の期外収縮という言葉からは、次の心周期から外れたすべての異所性収縮を意味するように思えます。しかし、元の英単語では、心房（室）性期外収縮は、premature atrial（ventricular）contractionと表現されます。すなわち、prematureは、pre（〜の前部にある）とmature（成熟した、満期の）の意味から明らかなように、時期が早いということを意味しています。一方で、予期される収縮よりも遅れたタイミングでの収縮は、補充収縮と呼ばれ、期外収縮とは別の病態を意味します。したがって、本来の意味からは、「期外収縮」ではなく、「早熟収縮」といった訳語のほうが適当であったのかもしれません。

　同様の観点から、大学時代の著者の上司の一人は、心房細動には心周期が明らかでないため、心房細動時には心室期外収縮という表現を嫌って、ventricular ectopic beat（心室性異所性収縮）と表現していました。

第51問

重要度 ★★★★ 中級編

不整脈の診断を問う問題です。

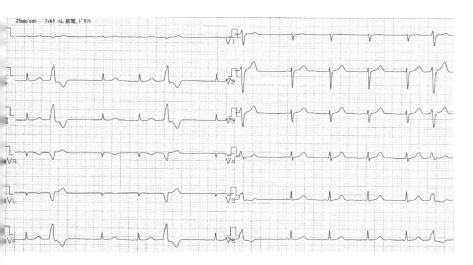

解答：心室期外収縮

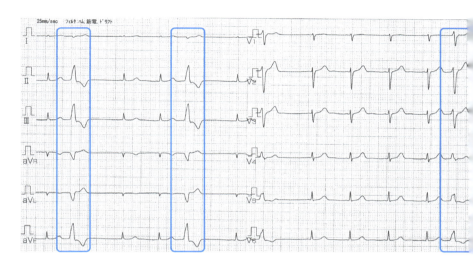

　正常の洞調律と考えられる基本調律の中に、肢誘導の2、5拍目と胸部誘導の6拍目に幅の広いQRSが、次に予測されるよりも早いタイミングで出現しています（おそらく胸部誘導の1拍目も）。これは、心室期外収縮と考えられます。

　心室内の異所性起源からの興奮は、正常の刺激伝導系を通らずに心筋を伝導するため、心室興奮は通常よりも時間がかかり、心室期外収縮のQRS波は幅も広く、形もいびつなものになります。

第52問

重要度 ★★★★ 中級編

ノーヒントです。

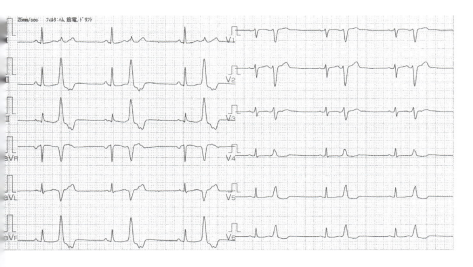

解答:心室期外収縮の2段脈

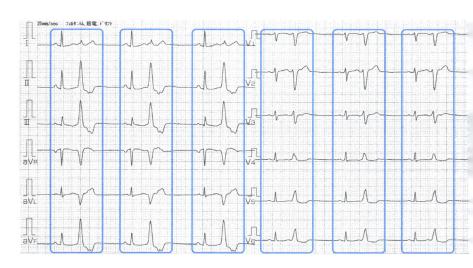

　基本調律は洞調律と考えられます。また、QRSのタイミングや形から、前問同様に心室期外収縮と考えてよさそうです。
　ただし、正常調律と期外収縮が交互に繰り返しており、本心電図は心室性の2段脈とまで診断したいところです。

　なお、心室期外収縮がいったん出始めて長い代償休止期を伴うと、その直後の正常調律の後に心室性期外収縮が出やすくなります。
　その結果、正常収縮と期外収縮が交互に現れる2段脈を呈しやすくなり、これを2段脈の法則といいます。

中級編

参考図：上室期外収縮の2段脈の場合

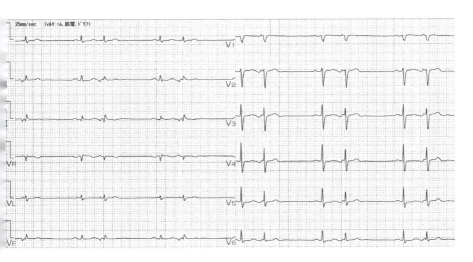

　正常調律に対して期外収縮が一定の割合で規則的に繰り返す場合を段脈といいます。

　収縮2つに1つの期外収縮が認められる場合（正常収縮と期外収縮が交互）を2段脈、収縮3つに1つの期外収縮が認められる場合を3段脈と呼びます。

　これは、上室期外収縮や心室期外収縮の別を問いません。参考図は上室期外収縮の場合です。

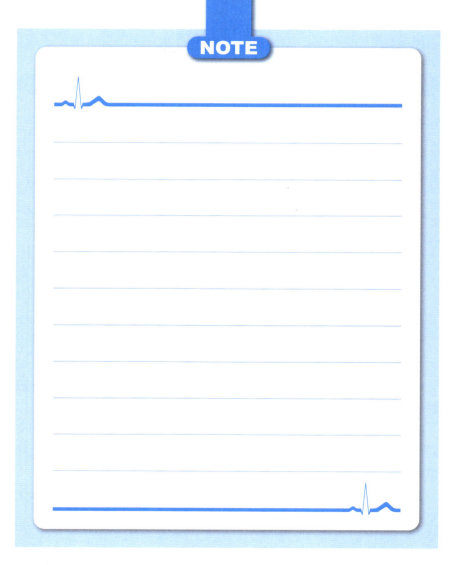

第53問

重要度 ★★☆☆

中級編

ノーヒントです。

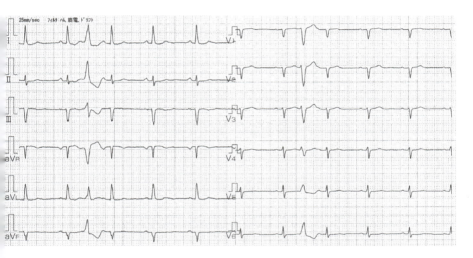

解答：間入性期外収縮

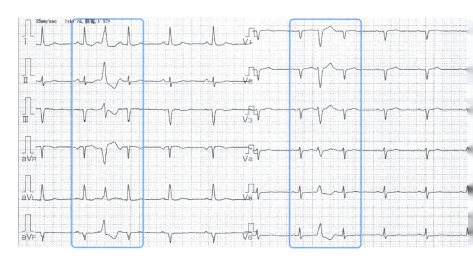

　基本調律は洞調律の記録ですが、肢誘導・胸部誘導のおのおの3拍目に心室期外収縮を認めます。

　前問の心室期外収縮は長い代償性の休止期を認めていますが、この心室期外収縮は代償性休止期を伴わず、正常収縮の間に認められています。これを間入性期外収縮と呼びます。

解説：代償性期外収縮と間入性期外収縮

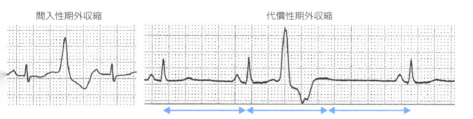

間入性期外収縮　　　　　　　　代償性期外収縮

　期外収縮において、連結期と休止期との合計、すなわち期外収縮の直前・直後の洞性収縮の間隔が、洞調律の RR 間隔のちょうど 2 倍になっているとき、その期外収縮を代償性期外収縮と呼びます。

　これは、期外収縮による絶対不応期に、期外収縮後の洞結節からの正常刺激が入っても、心筋が興奮しなかった結果によるものです。

　基本調律の間に期外収縮が入り、休止期を生じなかった場合を間入性期外収縮と呼びます。これは、心室の不応期外に洞結節からの刺激が到達したことによります。

第53問

参考図

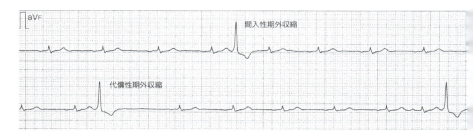

　代償性期外収縮と間入性期外収縮を同一患者の心電図記録で認めることもあります。

第54問

重要度 ★★★★ 中級編

ノーヒントです。

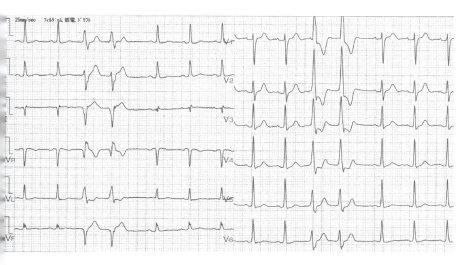

解説：段脈と連発

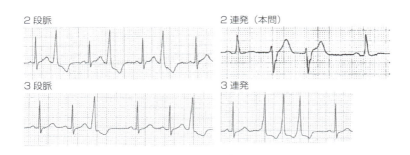

期外収縮がさまざまな頻度で出現するときに特有の名称があり、期外収縮が一定の割合で繰り返す場合を「段脈」といい、連続することを「連発」と呼びます。

本問の場合、基本調律は洞調律の記録ですが、肢誘導・胸部誘導のおのおの3、4拍目に心室期外収縮を認めます。

これは、続けて2つの期外収縮が連続しているため、2連発と呼びます。

第55問

重要度 ★★★★☆　中級編

多彩な心電図ですが、ノーヒントで。

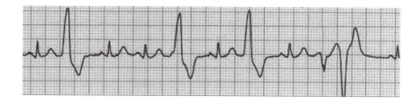

第55問

解説

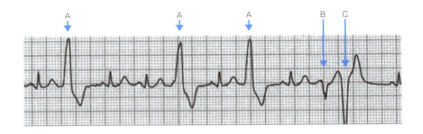

　基本調律の洞調律以外に、A、B、Cの3つのパタンの心室期外収縮を認めます。

　多源性心室期外収縮ですが、同じパタンの心室期外収縮(A)は同じ異所性起源からの由来と考えられます。

解説続き

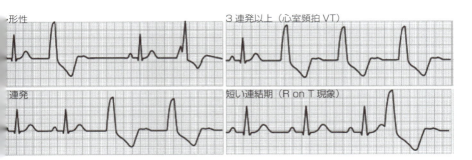

　心室期外収縮の中には、後述する心室頻拍や心室細動などの致死的不整脈を誘発しやすいものがあります。

　基礎疾患に心筋梗塞がある場合には、Lown 分類という心室期外収縮の重症度分類を用います。

　また、危険な心室期外収縮とされるものには、①頻発(記録された心電図の QRS の数の 10% 以上が心室期外収縮)、②連発、③複数の異所性起源(多形性)、④R on T 現象(T 波の直上に落ちるタイミングで期外収縮が発生)の 4 つの病態があります。

R on T が危険な理由

　危険な心室期外収縮として、頻発や連発、多源性以外に R on T 型の心室期外収縮がハイリスクであるとされています。この理由としては、T 波の生じる時期が再分極過程に相当するからです。T 波の幅は QRS 幅よりはるかに広いことからも明らかなように、再分極は脱分極に比べて緩慢な経過をとります。

　すなわち、この時期には心筋細胞によっては、まだ不応期の中にあって刺激に応じて収縮することができない心筋細胞や、再分極を終了して次の刺激に応じて収縮が可能(脱不応期)な心筋細胞があったりするなど、心筋の興奮性がまちまちです。そのような時期に心室期外収縮が発生すると、収縮できない心筋と、収縮してしまう心筋とに分かれてしまい、心臓全体で統一された収縮ができません。この状態がとりもなおさず心室細動ということになるので、R on T 型の心室期外収縮がハイリスクと理解されています。

第56問

重要度 ★★★★　中級編

ハッとする心電図ですが……。

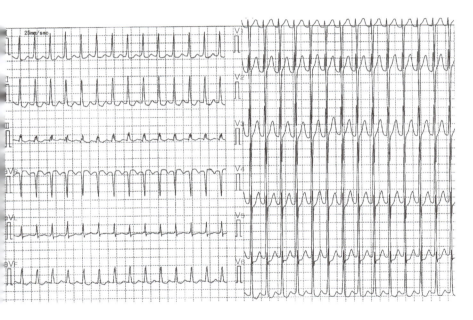

第56問

解説

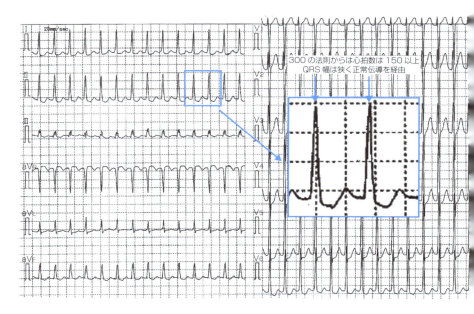

300の法則からは心拍数は150以上
QRS幅は狭く正常伝導を経由

　よくみると、頻脈ではありますが、QRSの幅は狭く、心室由来の不整脈ではなさそうです。

　上室頻拍症は心房内や房室結節などの異所性起源から生じる頻拍症で、通常は130〜250拍/分の心拍数です。上室性の不整脈では、電気刺激は房室結節を通ってヒス束からプルキンエ線維を通って心室を興奮させるので、通常QRS波形は正常です。

中級編

解説続き

	頻度	P波の場所	P波	房室ブロックの合併	warm up現象	その他
異所性自動能亢進						
自動能性心房頻拍	1〜2%	QRS波の前	(+)洞性Pと異なる	あり	あり	
リエントリー性頻拍						
洞結節リエントリー	5%以下	QRS波の前	(+)洞性Pと同じ	あり	なし	
心房リエントリー		QRS波の前	(+)洞性Pと異なる	あり	なし	
房室結節リエントリー（AVNRT）	最も多い					
通常型	AVNRTの90%	QRS波の中・後	(−)または偽性S波	あり	なし	
非通常型	AVNRTの10%	QRS波の後	逆行性P波	あり	なし	
房室リエントリー（AVRT）						Kent束の関与
正方向頻拍	AVRTの90%	QRS波の後	明瞭な逆行性P波	なし	なし	
逆方向頻拍	AVRTの10%	不明瞭	デルタ波	なし	なし	

　上室頻拍症の発症機序はさまざまです。

　詳細は表のとおりですが、機序として自動能亢進とリエントリー（回帰）があり、リエントリーによる上室性頻拍症はその回帰の部位から、洞結節性回帰、心房内性回帰、房室結節性回帰（AVNRT：atrioventricular nodal reentry tachycardia と呼ばれ最も高頻度）、房室性回帰（AVRT：atrioventricular reciprocating tachycardia）に分類されます。

　AVNRT と AVRT 以外では、P波は QRS波の前に認めます。

　本心電図は、先行するP波はなく、また逆行性のP波も確認できないことから、AVNRT と診断されます。

リエントリーとは

　上室頻拍症の発生機序には、大まかには、「自動能の亢進」と「リエントリー（回帰）」があります。「自動能の亢進」に比べて、回帰やエントリーという日本語にはあまりなじみがないので、ややとっつきが悪いのですが、その概念は必ずしも難解なものではありません。

　正常な刺激伝導系とは別に、電気刺激を伝えてしまう第2の伝導路が存在することがあります。これを副伝導路と呼びますが、副伝導路が存在すると、本来は一方向へ流れるはずの電気刺激が副伝導路を通って戻ってきてしまい、いつまでも電気信号がぐるぐる回り続けてしまうことになります。この状態をリエントリー（回帰）と呼びます。WPW症候群に頻拍発作を生じることが多いのは、Kent束自体がリエントリーの副伝導路になるからです。

　上室性の頻拍症のリエントリーは、その生じる場所によって、洞結節性回帰、心房内性回帰、房室結節性回帰、房室性回帰に分類されます。おのおのの心電図の特徴は前ページの表にまとめました。

第57問

重要度 ★★★★ 中級編

ノーヒントです。

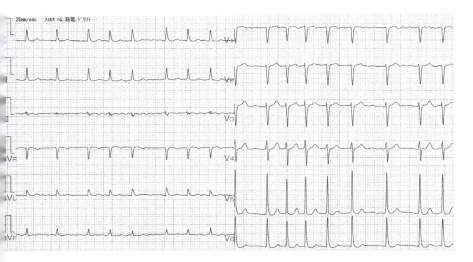

第57問

解説

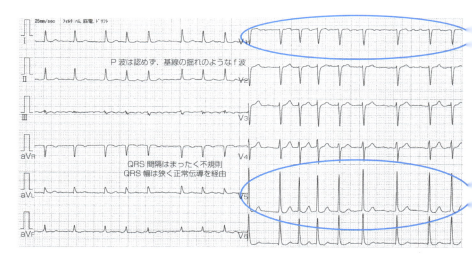

本心電図からは、①不規則に変動するQRS波（幅の狭い正常パタン）が出現、②P波は認めず、異所性の心房からの小刻みに震えたようなf波、という2つの特徴がみつかります。

これは心房細動が起きていることを示しています。

心房細動は洞結節からの正常の心房の興奮が始まらず、心房内の多数の異所性起源からの刺激を発生するものです。

この刺激は「ときどき」房室結節を通過するため、その刺激がどの程度心室に伝わるかによって心拍数は変化し、そして脈拍も不規則になります。

また、通過した刺激は、房室結節からHis束以下の刺激伝導系を通って幅の狭いQRSを発生させて心室を収縮させます。

こうして、上記のような2つの特徴が心電図上に記録されることになるのです。

第58問

重要度 ★☆☆☆　**中級編**

これもノーヒントですが……。

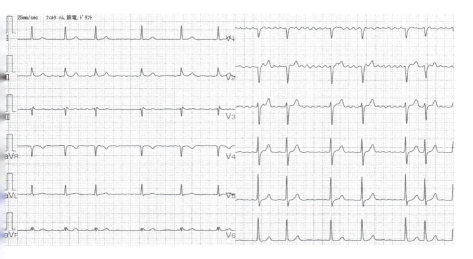

第58問

解説

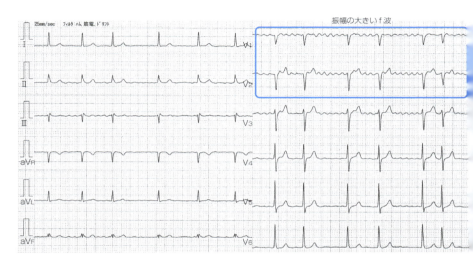

　不規則に変動する幅の狭い QRS 波と小刻みに震えるような f 波の存在から、心房細動の診断で間違いありません。

　ただし f 波が大きく、特に V_1〜V_2 誘導では後述する心房細動の F 波様に見える部分もあります。

　f 波は V_1〜V_2 誘導で明瞭に観察されますが、このような心房細動もあるという認識も必要です。

第59問 重要度 ★★☆☆☆ 中級編

QRSの間隔はどうでしょうか。

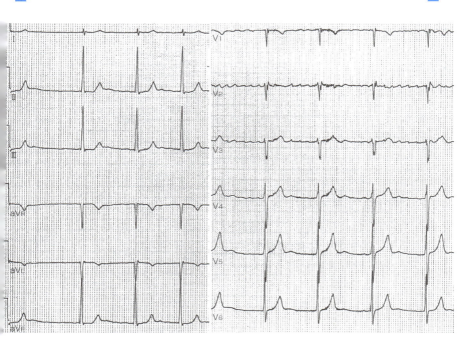

特殊な心房細動

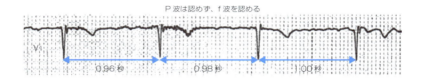

P波は認めず、f波を認める

　やはり、変動する幅の狭い QRS 波と f 波の存在から、心房細動の診断で間違いありません。

　ただし、心拍は変動するものの、特に胸部誘導の記録では心拍はほとんど規則正しく見えます。

　心房内の多数の異所性起源からの刺激は、不応期の関係からすべての刺激が房室結節以下に伝わるわけではなく、房室結節以下に伝わる刺激は本来アットランダムになります。

　実臨床では、ジギタリスやβ遮断薬の投薬下の患者さんなどでは、房室結節の伝導が極度に抑制された完全房室ブロックの状況になってしまい、房室結節以下の部分からの固有リズムで心室刺激が生じます。その際には、心房細動でありながら規則正しい調律を認めます。

第60問

重要度 ★★★★

中級編

普通の上室頻拍症でしょうか。

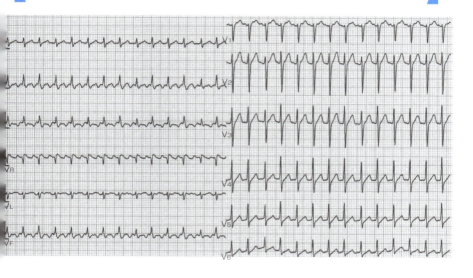

ヒント：Ⅱ、Ⅲ誘導に注目

解答：心房粗動

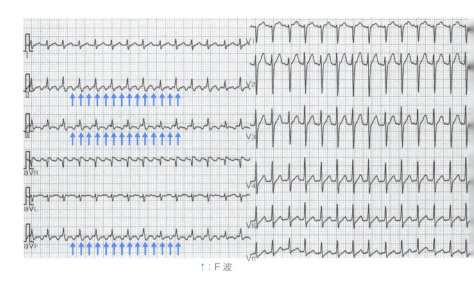

↑：F波

　この心電図はP波がなく、代わりにⅡ、Ⅲ、aVF誘導で基線が鋭いのこぎりの歯のように（鋸歯状）規則的に揺れています。

　この基線の揺れを心房細動のときのf波に対してF波と呼び、心房粗動の特徴としています。F波は心房細動のf波と異なり、Ⅱ、Ⅲ、aVF誘導でよく観察することができます。Ⅱ、Ⅲ、aVF誘導で陰性成分が主体の通常型（common type）と、陽性成分が主体の稀有型（uncommon type）に分類され、本心電図は通常型になります。

中級編

参考図 1

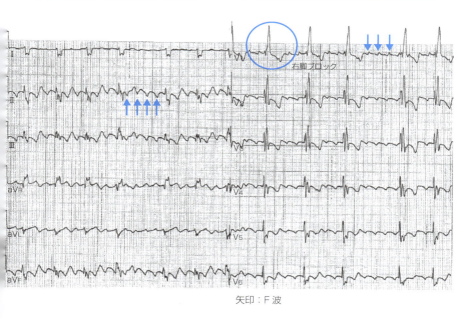

矢印：F波

運動負荷試験前の心電図記録で、右脚ブロックに心房粗動を合併しており、主に 4：1 で伝導しています。この患者さんが運動負荷試験によって……。

参考図2

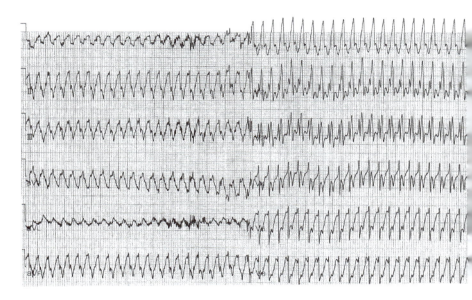

運動負荷によって心房粗動の1:1伝導になりました。

心房粗動時のQRS波はF波4に対して1や、F波2に対して1といったように偶数の割合で伝導されることが多いとされていますが、この心電図はまさに運動負荷中に心房粗動が1:1で伝導した記録です。

完全右脚ブロックを合併しているため、頻拍時にQRS幅の広い頻拍症として記録され、心室頻拍との鑑別が問題になりました。

第61問

重要度 ★★★★ 中級編

ノーヒントでこの心電図診断は？

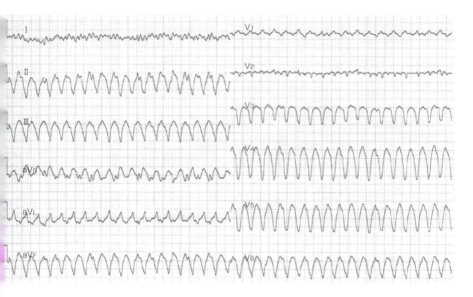

解説：単形性心室頻拍

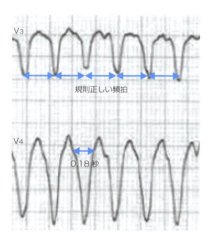

　QRS幅が0.12秒以上の幅広のQRSの頻拍（300の法則では200拍/分以上）が規則正しく繰り返されており、単形性心室頻拍の典型的な心電図記録です。

　単形性であることは、心室内の異所性の起源が同じであるか、リエントリー回路が一定であることを意味しています。

　一方、1拍ごとにQRSの波形が変化するものを多形性心室頻拍と呼び、起源が複数存在するか、リエントリー回路が次々と変化することによります。

中級編

参考図

上段の心電図は、本症例の1年前の心電図記録です。特に問題となる所見はなさそうです。

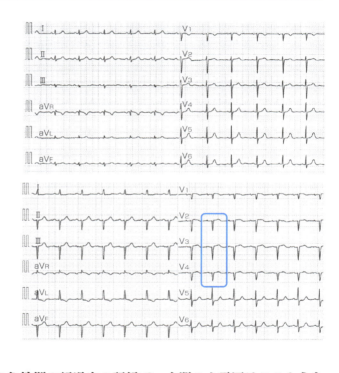

下段の心電図は、1日前の心電図記録です。前胸部誘導のR波が削られており、QRS幅もいくぶん広い印象です。

これは心筋炎の急性期の経過中の記録で、本問の心電図はこのような病態において発症したものです。

解説続き:心室頻拍の起源を推定

脚ブロックパタン		軸		移行帯		
右脚ブロック	左脚ブロック	右軸偏位	左軸偏位	V_1、V_2	V_3、V_4	V_5、V_6
左室起源	右室起源	心尖部	心基部	中隔	前壁・下壁	側壁

　なお、12誘導心電図波形から心室頻拍の起源をおよそ推測することが可能です。

　大きなポイントは、①脚ブロックのパタン、②軸、③移行帯、の3つです。

　　○脚ブロックパタンが、右脚ブロックであれば左室から興奮が始まるので左室起源、左脚ブロックであれば右室起源

　　○軸が左軸偏位であれば、電気的興奮は心基部から下壁に向かうので、心基部起源、右軸偏位であれば、心尖部よりの起源

　　○移行帯がV_1、V_2間にあれば中隔が、V_3、V_4間にあれば前壁、下壁が、V_5より外側にあれば側壁起源

と、考えられます。

　本問では、右脚ブロック(V_1でR波)、左軸偏位、V_1〜V_2に移行帯を認めるため、左室中隔の心基部が起源と考えられます。

第62問

重要度 ★★★★　中級編

運動負荷心電図の記録を示します。この心電図診断は？

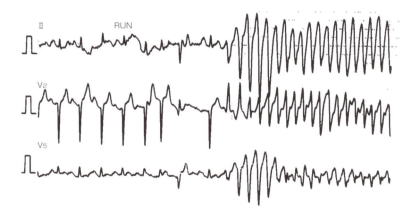

解説：torsades de pointes

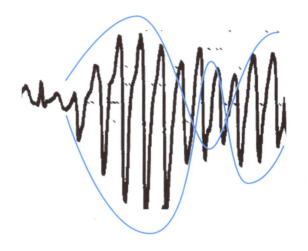

　QRSの極性（上向きか下向きか）と振幅が周期的に変化し、一見するとねじれたようなQRSの連続波形を呈する心室頻拍を認めます。

　前問で触れた多形性心室頻拍の代表例で、torsades de pointesとフランス語で呼ばれることが多く、トルサドポワンと発音します。

　公式の邦訳では、倒錯型心室頻拍としていますが、torsades de pointesのほうが通りはよいようです。

中級編

参考:本問は虚血性

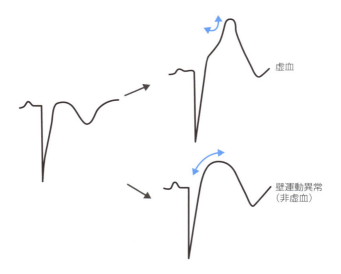

虚血

壁運動異常
(非虚血)

　問題図は三枝病変の陳旧性心筋梗塞例の運動負荷心電図の記録で、このように V₂ では T 波が陽転化し、それに伴い ST 上昇が下に凸の形を呈する場合には、虚血陽性所見と考えられています。

　一方、上に凸の形をした ST 上昇は壁運動異常に関連する所見と考えられ、非虚血性の変化と考えられています。

COLUMN

略語と隠語

　本書でも触れました倒錯型心室頻拍のトルサドポワンは、しばしば TdP と略されることがあります。かつて、電車の中で週刊誌の中吊りの広告にあった TPD という文字を見て、トルサドポワン？と思い込んだことがありました(実際は東京パフォーマンスドール！)。

　今思えば、国立循環器病センターは略語が非常に多用されるところでした。所属していた CCU(これも略語ですが)では、心筋梗塞はもちろん MI、狭心症も AP(angina pectoris)とどこの施設でも使うような略し方でしたが、同じ AP でも不整脈のグループでは副伝導路(accessory pathway)を意味し、動脈硬化・代謝グループでは動物蛋白(animal protein)の意味であり、一つの病院の中でも同じ略語が異なる意味で使われていました。

　恩師の平盛勝彦先生は、これではもはや略語ではなく、ジャーゴン(jargon：隠語)であり、仲間内だけで仲間意識を高めるために使われる業界用語として、嫌われてました。確かに MS といえば、循環器領域では僧帽弁狭窄症(mitral stenosis)ですが、神経領域では多発性硬化症(multiple sclerosis)になり、広く世間一般ではマイクロソフトでしょうか。略語を用いるときには、意思の疎通に過不足がないかを確認して使う必要がありそうです。

第63問　重要度 ★★★★　中級編

運動負荷心電図の記録を示します。この心電図診断は？

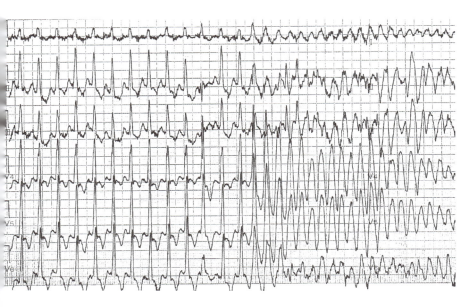

第63問

解説

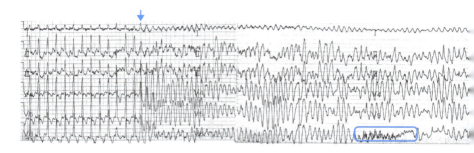

　　運動負荷試験中に認められた心室頻拍・心室細動で、心室期外収縮が出現（↓）した後に、心室頻拍から心室細動に至っています。

　　心室細動は、心室の多くの異所性の起源からの電気的興奮によって、無秩序で不規則な基線の揺れが心電図記録されます。

　　肉眼的には心臓は単に細かく震えているか、まったく静止しているように見えるだけで、有効なポンプ機能を果たすことができません。

第64問

重要度 ★★★★ 中級編

肢誘導に見られる不整脈の診断を問う問題です。

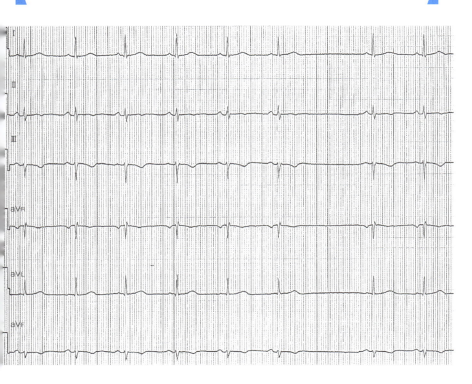

第64問

解説

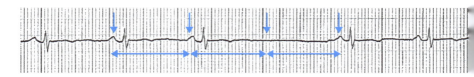

　洞房ブロックは洞結節からの刺激の休止後、次に回復するP波（↓）までのPP間隔は基本調律の整数倍になります。

　これに対して洞停止は、一時的に洞結節からの刺激が行われなくなる状態で、PP間隔は基本調律の整数倍にはなりません。

　本心電図は洞房ブロックの記録になります。

洞機能不全症候群の分類

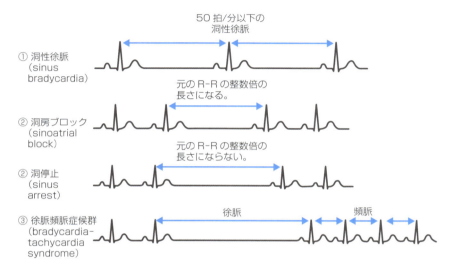

　洞機能の低下に関連した不整脈を総じて洞機能不全症候群と呼びます。

　本邦では、Rubenstein による分類が汎用されており、①50 拍/分以下の洞性徐脈、②洞停止または洞房ブロック、③心房細動や発作性上室性頻拍症を①または②に伴う徐脈頻脈症候群、に大別されます。

COLUMN

期外収縮と抗不整脈薬

心室期外収縮の頻度は予後を反映するでしょうか？

古くは紀元前500年の後漢の時代から、期外収縮の頻度は生命予後に関連すると考えられていました（下表）。これでは、2段脈の患者さんの予後は著しく悪いことになってしまいます。ただ、Lown分類でも明らかなように、病態によっては心室期外収縮の頻度と生命予後の間にはある種の関係があると考えてもよさそうです。

では、期外収縮の頻度を抑制させる薬物は生命予後を改善させるでしょうか？

もちろん、薬物によっては一定の効果が期待されるものもありますが、普遍的な真実とはいえません。実は、抗不整脈薬が致死的不整脈を引き起こすことが、CAST試験にて確認されました（N Engl J med 1989；321：406-12）。すなわち、心筋梗塞後の無症候性の単純性心室性不整脈の治療において、エンカイニド、フレカイニドは不整脈を有意に減少させたにもかかわらず、突然死を増加させて、プラセボ群よりも死亡率を3倍増加させたことが報告されたのです。このことは、抗不整脈による催不整脈作用をクローズアップさせるとともに、臨床試験の解釈として、真のエンドポイントと代替エンドポイントを用いた場合で、大きな違いが生じ得ることを明示したものでした。

脈の乱れ	予後
50回に1回	普通
40回に1回	4年
30回に1回	3年
20回に1回	2年
10回に1回	1年
3回に1回	1週間
2回に1回	3～4日

第65問

重要度 ★★☆☆☆　中級編

特に問題ない心電図のようにも見えますが……。

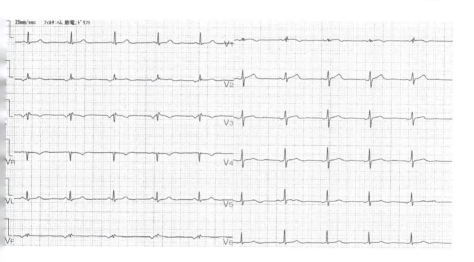

ヒント：肢誘導に注意してください

第65問

解説：異所性上室調律

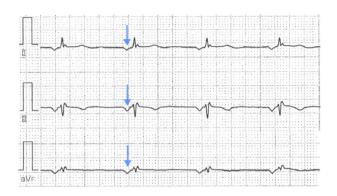

　本問のようにP波が（Ⅱ）、Ⅲ、aVFで陰転化していることがあります。このことから、洞結節以外からの刺激によって心臓が動いているとわかります。

　このように洞結節以外の上室由来の刺激によって動いている状態を、総じて異所性上室調律と呼びます。

　従来は、PQ時間が0.12秒以上の場合を冠静脈洞調律、0.12秒未満の場合を房室接合部調律と呼んで区別していましたが、最近ではそこまで分けることは少なくなってきているようです。

第66問

重要度 ★★★★ 中級編

これも特に問題ない心電図のようにも見えますが……。

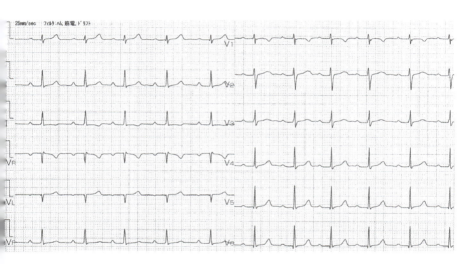

解説

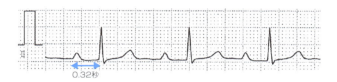

　心電図上 PQ 時間は、洞結節からの刺激が心房興奮を経て心室興奮に至るまでの時間を示し、房室伝導の時間を表わします。

　PQ 時間の正常値は 0.22 秒以内なので、0.24 秒以上（記録紙の最も小さい 1 mm 方眼の 6 つ分）の延長を 1 度房室と診断します。

　房室ブロックは、その重症度により 1～3 度に分類されます。

　1 度房室ブロックは PQ 時間は延長しますが、P 波の後に QRS 波が欠落することはなく、1 つの P に対して必ず 1 つの QRS が対応します。

第67問

重要度 ★★★★ 中級編

心電図モニタの記録から不整脈の診断を問う問題です。

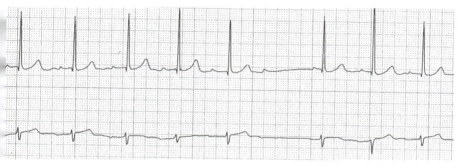

解説

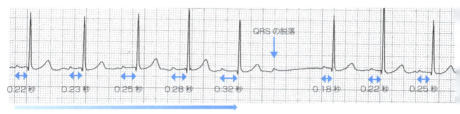

　さらに房室伝導の障害が進むと、1つのP波には1つのQRS波という対応がくずれ、P波の後のQRS波が欠落することがあり、本図の矢印の部分がまさにそれに相当します。

　このような状態を2度房室ブロックと呼び、中でもPQ時間が徐々に延長し、ついにはQRS波が欠落するものを、Wenkebach型（Mobitz Ⅰ型とも）と呼びます。

第68問

重要度 ★★★★

中級編

徐脈性不整脈の診断を問う問題です。

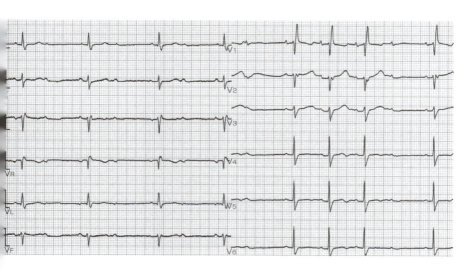

第68問

解説

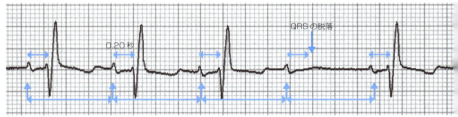

本記録でも、P 波は一定間隔で規則的に認めており（↑と↔）、PQ 時間も 0.20 秒と一定ですが、本来 4 拍目に期待される QRS が脱落しています（↓）。この点が、PQ 時間が次第に延長していった場合とは異なります。

このように、PQ 時間は延長がなく一定で、前兆なしに QRS 波が欠落する 2 度房室ブロックを、Mobitz II 型と呼びます。

元の心電図として、右脚ブロック左軸偏位の 2 束ブロックがあることにも注意してください。

中級編

解説続き

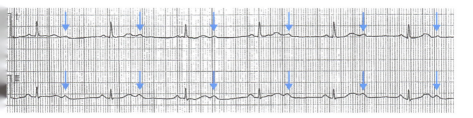

　一般に、P波が2つに対してQRS波が1つ欠落するときは2:1ブロック、P波が3つに対してQRS波が1つ欠落するときは3:1ブロック(以下同様に、4:1や5:1ブロック)と呼びます。図は、↓のP波にはQRS波が伴わない2:1ブロックの心電図です。

　3:1ブロック以上に伝導比が悪いブロックを高度房室ブロック(advanced AV block)と呼びます。後述する3度房室ブロックほど重症ではないですが、2度房室ブロックの中では重症と位置づけることもあります。

　Mobitz Ⅰ(Wenkebach)型とMobitz Ⅱ型では、Mobitz Ⅱ型のほうが予後不良で、ペースメーカの植え込みを検討すべき症例もあります。

COLUMN

カジノとAED

　院外での心室頻拍や心室細動など頻脈性の致死的不整脈には、自動式除細動器（automated external defibrillator：AED）が唯一の治療手段になります。AEDの有効性を明らかにしたエビデンスの構築には、ラスベガスのカジノが一役買っています。

　32カ月間に32カ所のカジノで、148例の心臓突然死例が発生しましたが、このうち、105例（71％）で現場の心電図上で心室細動が確認され、56例（53％）が生存退院したとされています。特に心臓発作から3分以内に除細動が行われた例では74％の生存退院が得られ、3分以上の例でも49％の好成績でした。

　カジノにはイカサマの防止や警備上の問題から各所にテレビモニターが設置されており、実際の映像とともに救急時の対応時間も正確に把握できていることが特徴です。実写された録画を見る機会がありましたが、警備員が胸骨圧迫もせずに、AEDのパッチ電極を貼りつける前に、悠長（？）にも男性の胸毛を剃毛している状況が映し出されており、唖然としました。また、患者さんが除細動後には何事もなかったように座り込んで、警備員らと会話する状況は感動的でさえありました。彼らはいわゆる心臓マッサージなどの蘇生処置を行わなくても、迅速で確実な除細動こそが救命の本質と考えているのかもしれません。

重要度 ★★★★ 中級編

単純な左脚ブロックの診断だけでよいでしょうか?

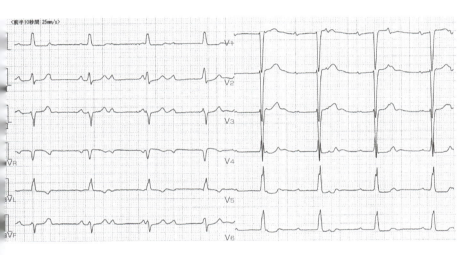

解答：3度房室ブロック

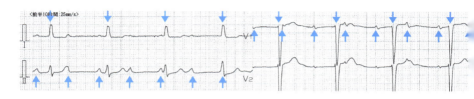

　P波（↑）は一定間隔で規則的に認めていますが、同時に左脚ブロックパタンのQRS（↓）も一定間隔で規則的に認めており、しかも心拍数も40台の徐脈です。

　心房からの刺激が心室に伝わらず、P波とQRS波がまったく無関係に、お互いの固有のリズムで記録されるものが3度房室ブロック（完全房室ブロック）です。通常心室の固有リズムは毎分50以下であるため、徐脈を呈し、一般的にはペースメーカ植え込みの適応になります。

　この記録では、心室固有の電気刺激の発生源が右室側にあるため、QRSが左脚ブロックパタンを示しています。

第70問

重要度 ★★★★☆ 中級編

見慣れない心電図波形ですが、ノーヒントです。

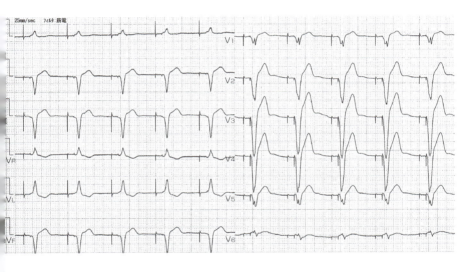

解答:ペースメーカの心電図

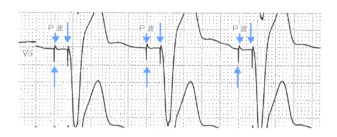

　QRS 幅が広く、脚ブロックを思わせる心電図ですが、矢印(↓・↑)のようなスパイクを認めます。これはペースメーカ植え込み患者さんの心電図です。

　V3 誘導ではペースメーカの心房への刺激(スパイク:↑)の後にごくごく小さな P 波を認め、心室刺激スパイク(↓)の後に明瞭な QRS 波を認めています。

補足

位置	徐脈への対応			プログラムやその他の特殊機能	
	I	II	III	IV	V
作用	ペーシング部位	センシング部位	センシング時反応様式	プログラム機能	抗頻拍機能
分類	O=なし A=心房 V=心室 D=両室 （A+V）	O=なし A=心房 V=心室 D=両室 （A+V）	O=なし T=同期型 I=抑制型 D=両室 （A+V）	O=なし P=単純プログラム M=複数プログラム C=テレメトリー R=ペーシングレート変化	O=なし P=ペーシング S=ショック D=両室 （P+S）

　ペースメーカのモードには以下の5つがあり、そのモードをアルファベットで表現します。

　最初のアルファベット（I）はペーシング部位（刺激部位）を、（II）はセンシング部位（感知部位）を、（III）はセンシング時の反応（応答様式）を、（IV）は可能なプログラム機能を、（V）は不整脈への特殊な機能を示します。

　すなわち、最初の3文字は徐脈に対する機能を、後の2文字はプログラム性や頻拍治療への機能を示しています。

　第1文字目と第2文字目は、対象部位が心房の場合は「A」(Atrium)、心室の場合は「V」(Ventricle)、その両者を対象とする場合は「D」(Dual)、どちらも含まない場合は「O」(None)で表されます。

　第3文字目は、心電位が検出された場合に次の刺激を抑制する機能を「I」(Inhibited)、これに同期して、ただちにまたは一定の遅延時間後に刺激を発生する機能を「T」(Triggered)、その両者の機能をもつ場合は「D」(Dual)、どちらも含まない場合は「O」(None)で表します。

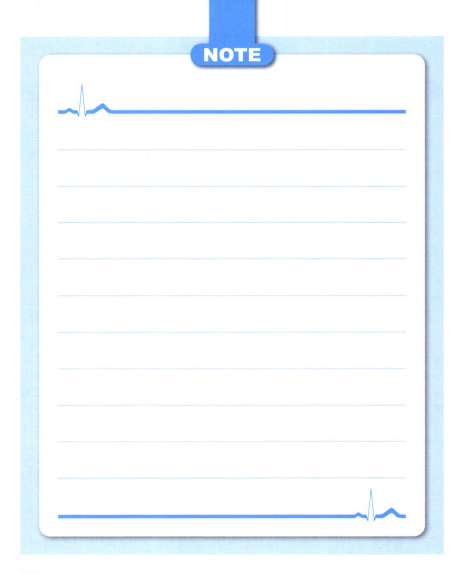

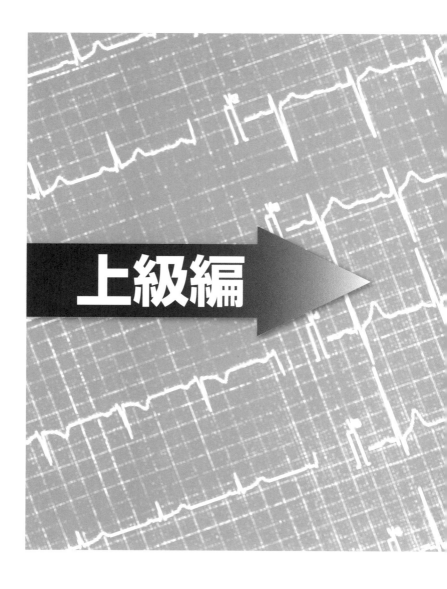
上級編

上級編について

　上級編では、中級編では取り上げることのなかった応用的な病態を取り上げています。循環器領域を専門にされる方であれば、これらの所見に遭遇する確率はかなり高くなると思いますが、遭遇する確率の低い一般の医療職の方でも、知識の片隅として捉えておくことは、心電図の判読の深さにもつながる重要なことと考えています。

　このレベルの所見の判読が可能になれば、どなたが相手でも所見に関するディスカッションが可能になると信じています。免許皆伝クラスのレベルに到達したと自信をもってください。

第71問

重要度 ★★★★ 上級編

特に問題となる所見はなさそうですが……。

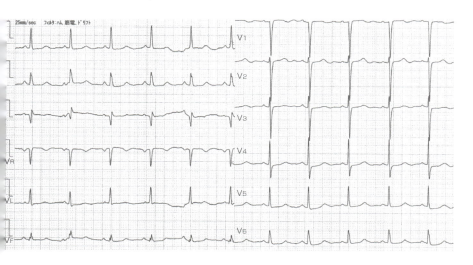

第71問

QT延長は意識していないと、しばしば見落としてしまう所見の一つです

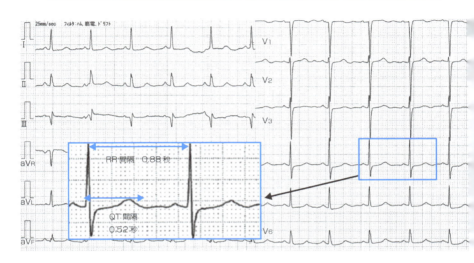

QT時間が延長しています。心電図記録上のQT時間は0.52秒（目盛り13個）で、RRは0.88秒（目盛り22個）なので、QTc（Bazettの補正式：$QTc = QT/\sqrt{RR}$）では0.55秒と延長しています。

遺伝的なQT延長症候群や二次的なQT延長症候群も、QTcで0.46秒以上を臨床的なQT延長と考えます。

電解質異常（低K・低Mg血症）や抗不整脈薬投与は、QT延長を認める代表的な病態で、多彩な心室性期外収縮や倒錯型心室頻拍を認める場合もあります。

QT延長と電解質異常

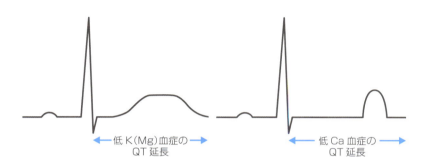

← 低K(Mg)血症の → QT延長

← 低Ca血症の → QT延長

　低Ca血症もQT延長を呈しますが、低K(Mg)血症でみられるようなTU複合波形を呈するというよりも、ST部分が延長するような形をとることが多いようです。

第72問 重要度 ★★★★☆ 上級編

気になる所見といえば……。

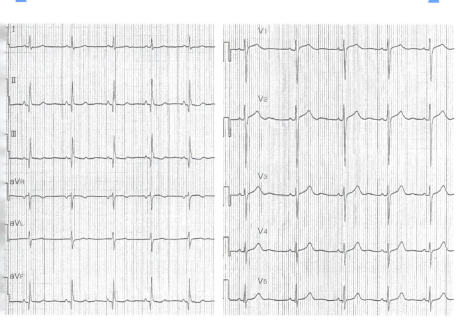

第72問

解説：Q波の深さと幅から、異常かどうかを判定

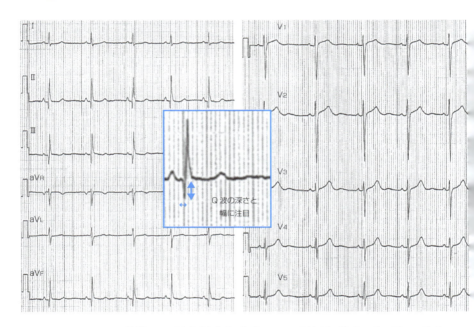

Q波の深さと幅に注目

　Ⅱ、Ⅲ、aVF 誘導の Q 波が目立ちます。この評価がポイントでしょうか。異常 Q 波（？）を疑い、下壁梗塞か？　と診断したいところですが……。
　心筋梗塞の異常 Q 波としては、幅が 0.04 秒（1 mm 方眼で 1 目盛り分）以上で、かつ深さが R 波の 1/4 以上あることが必要です。
　この記録では、深さは R 波の 1/4 以上あるものの、幅が狭く正常範囲の Q 波と考えます。

　通常の Q 波と異常 Q 波の鑑別は思いのほか簡単ではなく、冠性 T の合併など、梗塞の状況証拠を収集すべきでもあります。
　また、Ⅲ誘導は下壁部分を反映しますが、Ⅲ誘導のみに見られる Q 波はむしろ心筋梗塞でないことが多いと考えられています。

第73問

重要度 ★★☆☆☆　　上級編

左脚ブロックのパタンではあるようですが、それだけでしょうか？

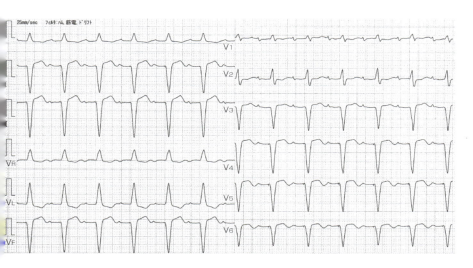

解答：ペースメーカの心電図

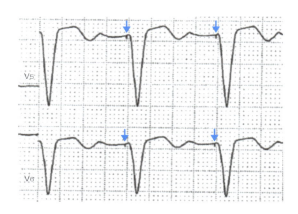

　非常に見づらいですが、V₅〜V₆誘導で↓部分に小さなスパイクを認めます。

　ペースメーカ（PM）植え込み後の心電図ですが、スパイクがこのように見づらいことも少なくありません。

　また、心房刺激のスパイクが見られず、PMが自己のP波を感知して心室を刺激していることも読み取れます。

第74問

重要度 ★★★★ 上級編

【 ホルター心電図の記録を示します。ノーヒントです。
また、その診断根拠は？ 】

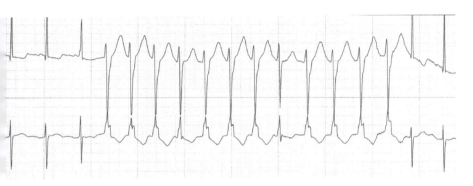

解答：発作性心室頻拍

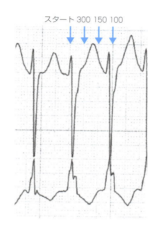

　記録された4拍目から発作性に幅の広い QRS 波形の連発を認めます。

　300の法則を用いると、100以上の頻脈であり、発作性心室頻拍と診断できます。

　ただし、幅広の QRS の頻脈では常に上室頻拍症の変行伝導との鑑別が問題になります。

上級編

上室頻拍の変行伝導との鑑別

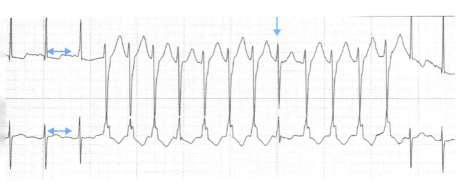

　↓のQRSは、正常の心房からの伝導と不整脈による心室からの伝導が同時に心室を興奮させたもので、融合収縮と呼ばれます。

　正常QRSと心室頻拍時のQRSとの中間的な波形を呈するもので、心室頻拍を示す所見として有名です。

　この特徴から、上室頻拍の変行伝導ではないとわかります。

　指摘されてみると、↓のQRSは、R波は低くてS波が深く、この点では心室由来の心拍に似ていますが、QRSの幅は狭く、この点では正常心拍に似ています。

　なお、正常心拍において、幅の広いT波を認め、さらにU波が目立つことから(↔)、低K(Mg)血症が推測されます。

COLUMN

マグネシウムと循環器疾患

2014年の11月に第34回日本マグネシウム学会の学術集会長を務めさせていただきました。この話題になると、「マグネシウム学会なんてあるの？」とか「何をしているの？」ということで話が結構盛り上がります。実は、マグネシウムと心疾患とはかなり深い関連があります。本書でも述べたように、QTの延長などを介した致死的不整脈の発生、さらには心筋梗塞や狭心症の発症にも関連しています。中でも日本人の場合には、マグネシウムの低下は冠攣縮性の異型狭心症の発症と関連しています。

私の患者さんで、二日酔いや風邪などで嘔吐や下痢を繰り返した後に、冠攣縮の関与したST上昇型の狭心発作を生じる方がいました。また、早朝のST上昇の狭心発作時に、血中のイオン化マグネシウムの値が著しく低下している症例も報告しています（日本冠疾患学会雑誌 1996；2：222-5）。

ただし、このようなST上昇型の異型狭心症は欧米人では極めてまれなようで、留学先のFroelicher先生は「心電図を何万枚と見ているが、そんな心電図は見たことがない」と言われていました。

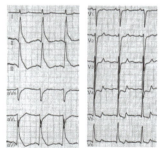

冠攣縮によるST上昇

第75問

重要度 ★★★★☆ 上級編

肢誘導・胸部誘導ともに第3拍目が気になりますが……。

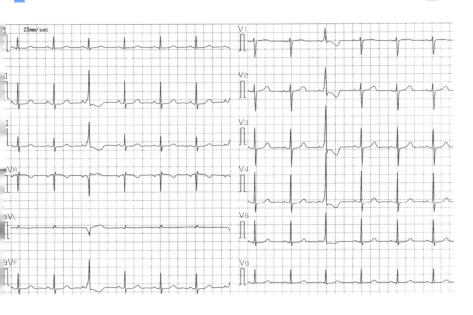

解説:期外収縮ではありません!

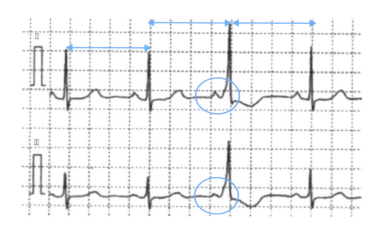

　一瞬、右脚ブロック型の心室期外収縮を思い浮かべてしまい、上室期外収縮との鑑別を考えた方はいませんか?

　図のように、各 QRS 間隔は一定であり(↔)、期外収縮でも補充収縮でもありません。

　よく見ると幅広の QRS には、PR 時間の短縮とデルタ波を伴っています(◯部分)。

　これは、間歇性の WPW 症候群の心電図記録です。

第76問

重要度 ★★★☆ 上級編

特に問題となる所見はなさそうですが……。

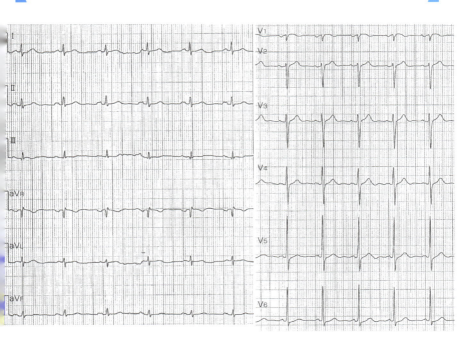

解答：左房負荷

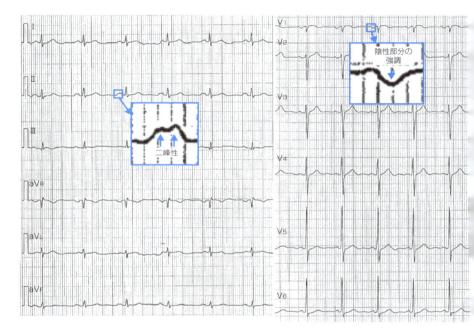

　P波の形に異常があり、左房負荷による僧帽性P波と呼ばれる変化です。

　P波の変化は、意識していないとしばしば見落としてしまう所見の一つです。

　本症例は、著明な僧帽弁逆流に対して弁置換術をされた方の心電図記録です。

上級編

解説

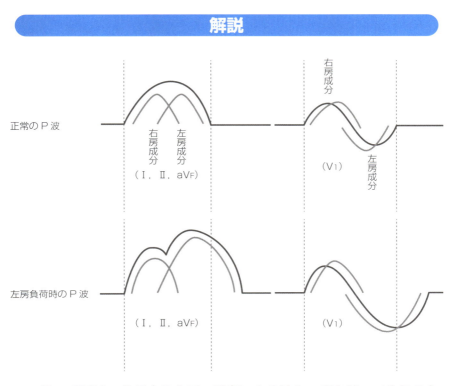

　P波の成因は、先行する右房の興奮による波と、引き続いて生じる左房の興奮の波とが融合して形成されます。

　正常のP波（上段）に比べて、左房負荷時（下段）にはP波全体が延長し、P波の後半成分はⅡ誘導では増高して二峰性になり、V₁では顕著に深く、広くなります。

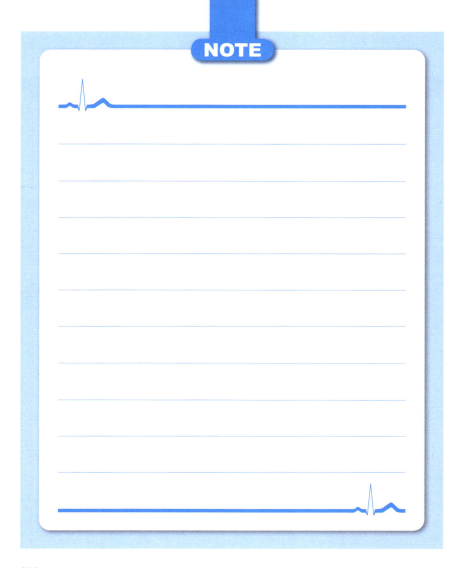

第77問

重要度 ★★☆☆☆　上級編

P波に注目してみると……。

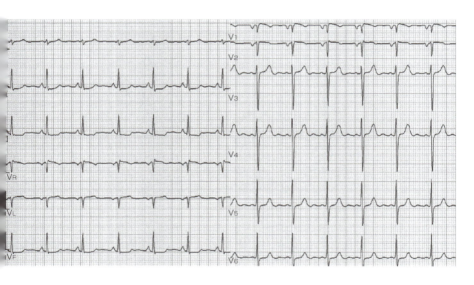

漏斗胸

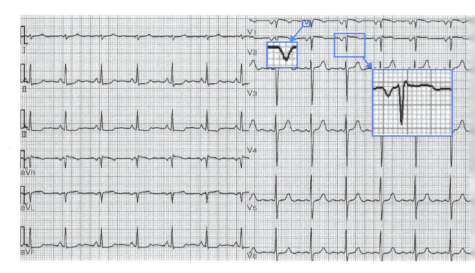

　V₁ での左房負荷の所見が目にとまります。漏斗胸では胸骨が陥凹して心臓が左方へ圧排されるので、V₁ での P 波の陰転化が特徴です。

　不完全右脚ブロックも合併することが多い(本症例も微妙ですが)とされています。

　Ⅱ、Ⅲ、aVF の肺性 P 様の変化は必ずしも漏斗胸に典型的な所見ではありません。

第78問

重要度 ★★★★　上級編

心電図から考えられる病態はなんですか？

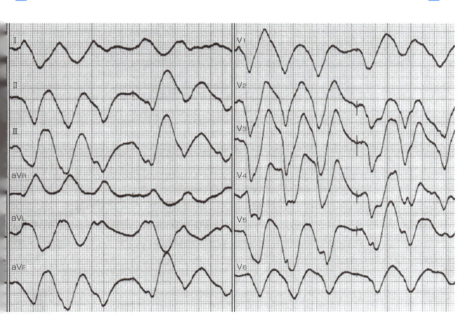

第78問

解説

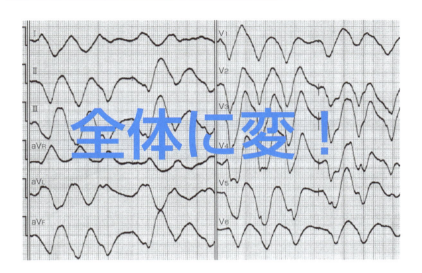

　本問は一見して、電気軸や移行帯はもとより、心拍数の評価すらも難しい状況です。これまでの問題のように、個別の部分に注目することはできなさそうです。

　それほどまでに心電図が全体的に大きな変化を来すということは、もはや心臓の局所に問題があるのではなく、心電図が心臓を含む全身の異常な状況の一部を反映していると考えるべきです。

　心臓全体に影響を与える病態としては、電解質異常、薬物中毒、心筋炎などを思い浮かべる必要があります。

　本心電図は、慢性腎不全患者に対して抗不整脈薬のピルジカイニド投与が過剰になった記録です。

第79問

重要度 ★★★★ 上級編

前問に似た心電図ですが、考えられる病態はなんですか？

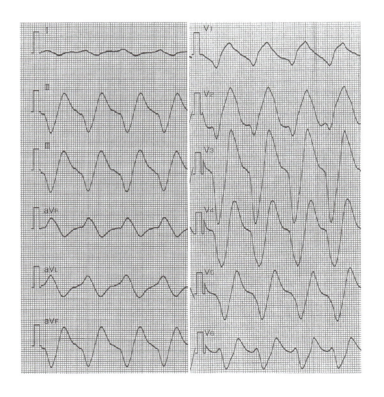

解説：高K血症の正弦波

正弦波
サインカーブ

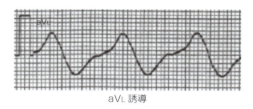

aVL誘導

　この心電図も全体に異常を来していますが、規則性はあり、幅広の奇妙なQRSを認めます。

　これは、高K血症の正弦(サイン)波と呼ばれています。

　すべての誘導にQRSの異常が生じており、心電図が心臓を含む全身の異常な状況の一部を反映したものと考えられます。

参考：テント状 T 波

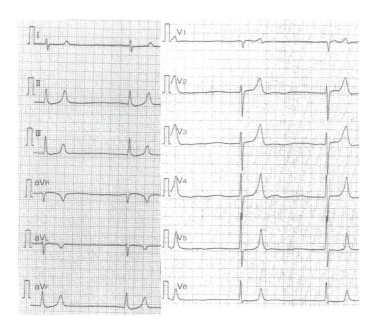

　高 K 血症の有名な心電図変化は T 波の増高で、T 波は裾野が狭く、比較的左右対称に近いことから、テント状 T 波（tentrial T）と呼ばれます（本図）。

　さらなる高 K 血症の進展により、心房の伝導障害や P 波の消失、房室伝導障害、および心室内伝導障害（幅の広い QRS）が出現し、最終的には設問のような正弦波を呈します。ちなみに本図は設問の心電図の 3 日前の心電図です。

COLUMN

画像診断のスキル

　心電図はシンプルな画像診断の一つです。画像診断にはその他にも、眼底写真、冠動脈造影、MRIといった多くの種類があります。ただ、画像診断に従事し始めるとそのスキルアップに心が及び、なんとかしてその読影・判読技術を向上させたいと思うものです。それには、多くの画像を読む以外に王道はありません。

　エビデンスに基づかない私の個人的な見解を言えば、画像の種類によってその差はあるものの、まず20～50件の画像を読むことです。そうするとその検査が、いったいどのような検査であるのかが、おぼろげながらわかってきます。その次のステップはその10倍程度の200～500件の画像を読みこむことです。この辺りでおおよその典型的な画像を一通り経験して、所見とそれがもつ臨床的意義が理解できます。また、所見に関してもほかの先生とディスカッションができるようになってきます。ここまでくると判読にもずいぶん手馴れてきますが、さらにその10倍の2,000～5,000件の画像を判読すると、常識的な所見を見い出すことにはまったく苦労せず、例外的な所見にも対応して判読できるようになります。ここまでくるとほぼ免許皆伝クラスではないかと考えています。

第80問

重要度 ★★★★☆　上級編

考えられる不整脈はなんですか？

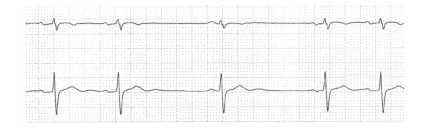

解答：移動性ペースメーカ

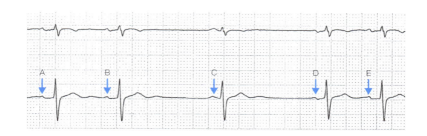

　AのP波は上向きで幅が狭く、Bはやや幅広で、Cはさらに幅広です。DもEも2相性ですが、Eのほうが陰性部分が少し浅くなっています。

　PR時間も一定ではなく、QRS間隔も不規則です。

　これは移動性ペースメーカによるものと考えられます。

　移動性ペースメーカとは歩調取りとなるペースメーカの位置が心房内で移動するものです。

　その結果、P波は色々な形をとり、またPR時間やQRS間隔も変動するため調律は不規則になります。

第81問

重要度 ★★★★　上級編

気になる所見はどこでしょうか？

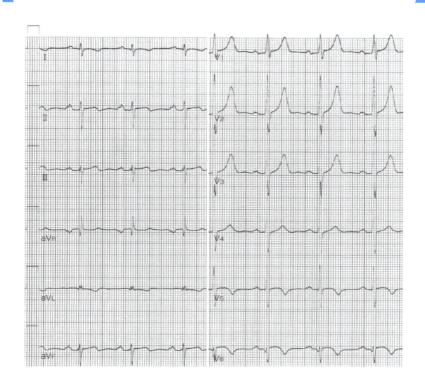

解答：慢性期の後壁梗塞

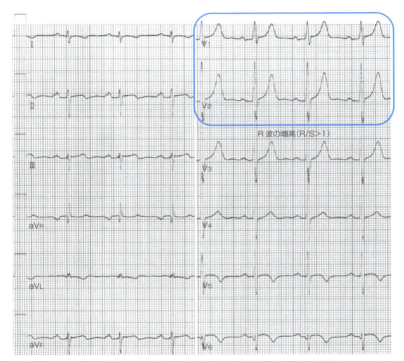

R波の増高（R/S>1）

　標準12誘導では梗塞壊死巣に位置する電極では、急性期にはST上昇が、慢性期にはQ波が記録されますが、電極のない後壁梗塞ではこれらの変化は記録されません。したがって、その反対側の前壁の誘導をチェックします。

解説：鏡像現象

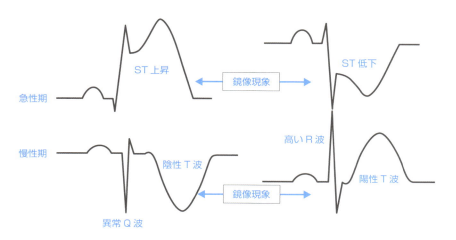

　すなわち、前壁誘導では、急性期にはST低下が、慢性期には高いR波が記録されることになります。鏡に写したような状態になることから、これを対側性変化や鏡像現象(mirror image)と呼んでいます。

　したがって、慢性期の後壁梗塞ではV_2を中心にV_1や、場合によってはV_3でR波の増高やSTの低下を認めます。

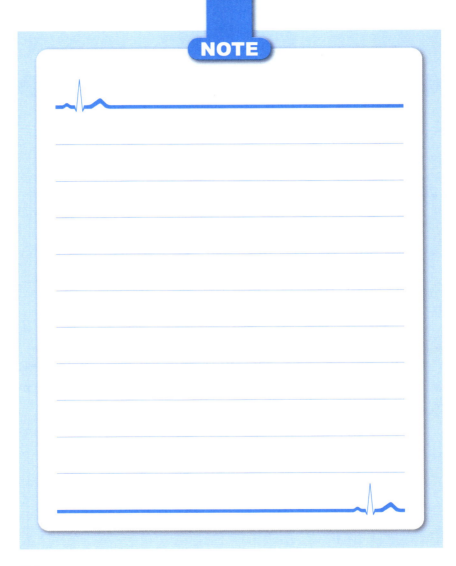

第82問

重要度 ★★★★☆ 上級編

V3R以下右側胸部誘導の心電図記録を提示していることが大きなヒントです。

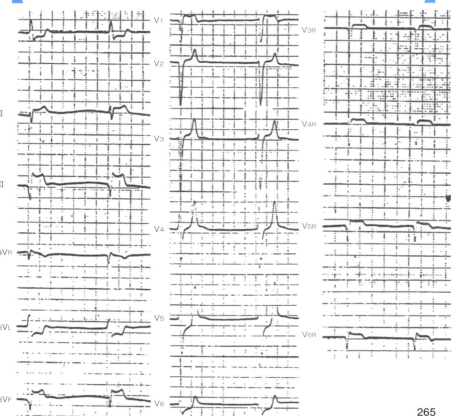

解答：急性下壁梗塞、ただし……

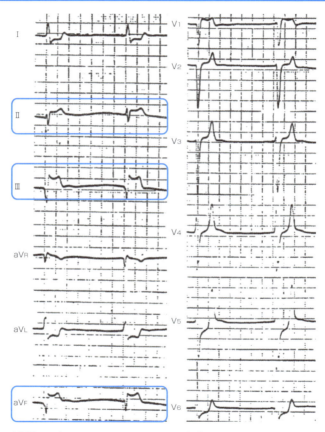

　標準12誘導心電図でのⅡ、Ⅲ、aVF誘導でSTが上昇しており、急性の下壁梗塞が診断されます。

上級編

解答続き：右室梗塞の有無まで調べて100点です

急性下壁梗塞に右室梗塞を合併した場合の予後は不良なため、右室梗塞合併の有無を早期に診断することは重要です。

右室梗塞の診断には、標準12誘導心電図に加え右側胸部誘導も記録する必要があります。

特に V_{4R} 誘導の 0.1 mV 以上の ST 上昇は右室梗塞の診断に有用とされています。

本例でも右側胸部誘導の ST 上昇から、右室梗塞と診断されました。

なお、右側胸部誘導の ST 上昇は早期に消失しやすいので、早期の記録が必須です。

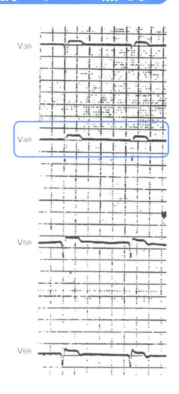

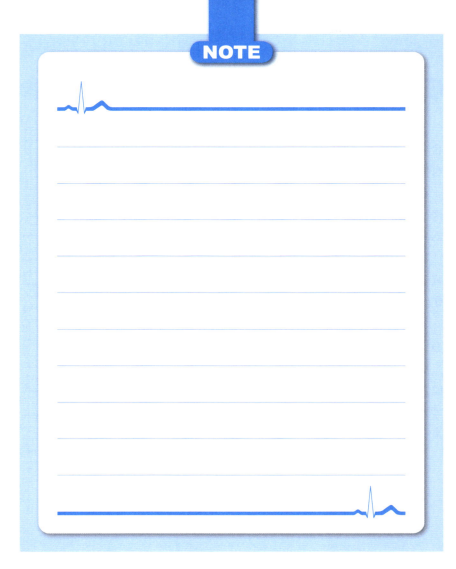

第83問

重要度 ★★★★ 上級編

胸痛と呼吸困難を訴えた患者さんの心電図です。

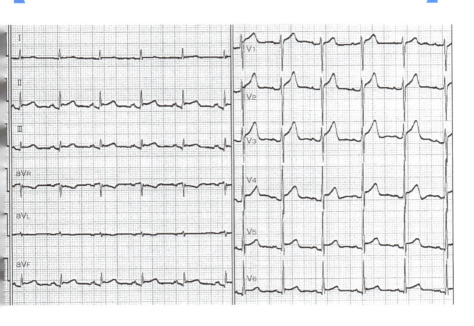

解説：急性心筋炎

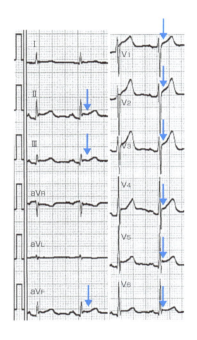

　急性心筋炎は胸痛や呼吸困難を主訴とする疾患として、非常に重要です。急性期の心電図では、心筋梗塞発症時のようにST上昇が認められます。

　しかし、責任血管がないため局所的なST上昇ではなく、ほぼ全誘導（aVRを除く）で見られる傾向があるものの（↓）、その程度は軽い傾向にあります。

参考図

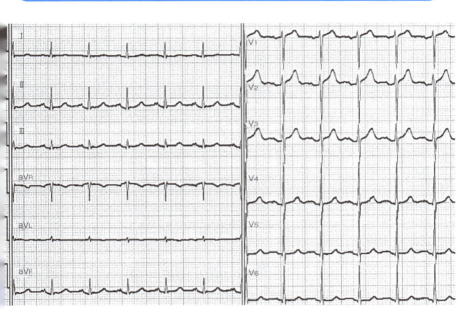

同じ症例のほぼ1日前の心電図記録を示します。
この図では問題図に見られるような ST 変化は認められません。

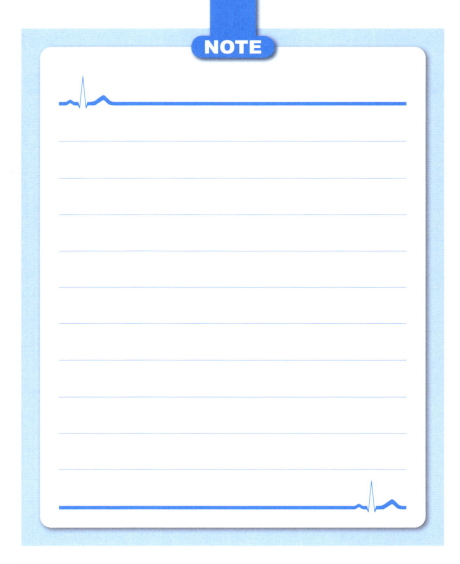

第84問

重要度 ★★★★☆ 上級編

運動負荷試験の前後の変化を問うものです。

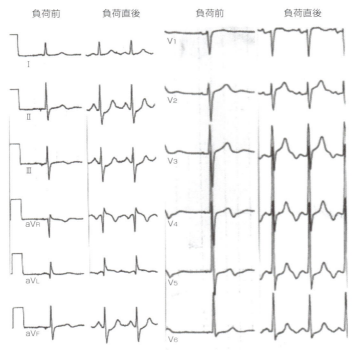

ヒント：胸部誘導の変化に要注意です。

第84問

解説

心電図の虚血性変化は主に ST 部分に現れます。

V_4～V_6 には ST 部分に有意な変化を認めないものの、V_3～V_6 に陰性 U 波を認めます（↓）。

またよく見ると、V_1～V_3 の ST 上昇所見も認めており（↑）、貫壁性の心筋虚血を疑わせます。

胸部誘導に新たに出現した陰性 U 波は、左前下行枝の近位部病変を示す手がかりです。

出現頻度は高くありませんが、その特異度は高く、重要な所見です。

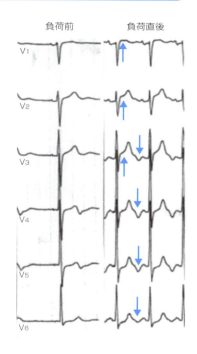

上級編

参考

　一方、陽性 U 波は左回旋枝（時には右冠動脈）の近位部病変を示す手がかりになります。

　右の運動負荷心電図では V4〜V6 の有意な ST 低下とともに、V2〜V3 に陽性 U 波を認めており（↓）、冠動脈造影では右冠動脈 #3 に 90% 狭窄と、同じく #4PD に完全閉塞を認めました。

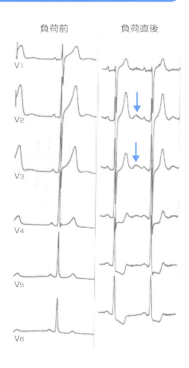

運動負荷試験時の12誘導

　運動負荷試験時には四肢に電極を装着する標準12誘導法での記録は困難なことから、Mason-Likar誘導法が用いられます。通常両上肢の電極をおのおの左右の鎖骨窩に、両下肢電極をおのおの左右の前腸骨棘と左右の肋骨弓下端部の間に装着します。下肢電極の記録が不安定な場合には、肋間ではなく肋骨弓の肋骨上に付けたほうが安定することがあります。なお、Mason-Likar誘導法でも、胸部電極は標準12誘導と同様に装着します。

　胸部誘導では標準12誘導法とMason-Likar誘導法の記録に大きな違いはありませんが、四肢誘導では波形に歪みが生じることがあります。特にⅢ、aV_F誘導のQ波が消失したり、aV_Lに深いQ波が出現することがあります。この波形の歪みは、左右の鎖骨窩部の電極が躯幹の内側に移動するほど高度になります。

　運動負荷心電図検査の施行前に、以前の安静時心電図の記録と負荷直前の安静時心電図を比較することは重要なことですが、その際には標準12誘導心電図とMason-Likar誘導法による記録の差を考慮することが重要です。

第85問

重要度 ★☆☆☆　上級編

心房細動の心電図ですが、それだけでしょうか？

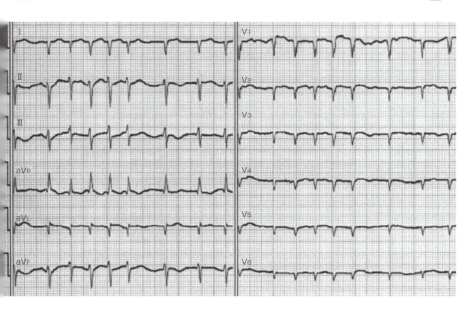

第85問

右胸心

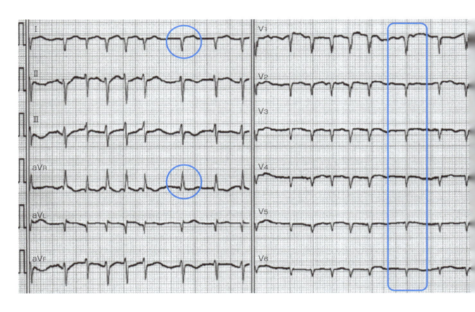

aVRを除くほとんど全誘導にR波がない心電図です。

I誘導でR波の下向き成分が強く、aVR誘導では上向き成分が強いところや、移行帯も特定できず、むしろV3からV6へと左側の誘導に移行するにつれてR波高が減高しているところなどは、初級編の第11問に示した右胸心の心電図（次ページに再掲）に似ています。

上級編

解説続き（図は初級編第 11 問の再掲）

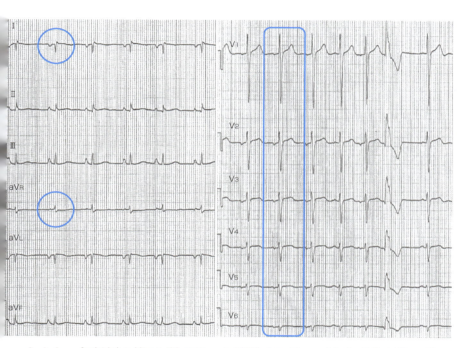

　しかし、初級編の第 11 問では、Ⅰ誘導で R 波の下向き成分が強いだけでなく、P 波が下向きであることが大きな特徴でした。

　Ⅰ誘導の P 波が陰性のときには、「電極の付け間違い」か「右胸心」を疑うことはすでに述べた通りですが、設問の心電図は心房細動で、P 波の情報がないことから、右胸心の診断を難しくしています。

COLUMN

心房細動

著者が退役軍人病院の留学中に与えられた研究テーマが、心房細動に関するものでした。一つは病院のデータベースを用いて、心房細動患者の予後をその基礎疾患別に検討した疫学的研究でした。同時に、運動耐容能の観点からの研究で、まず、年齢と性および心機能をマッチさせた洞調律患者と心房細動患者の運動耐容能を比較し、次に、同一心房細動患者の除細動前後の運動耐容能を比較検討しました。幸いにも、これらの心房細動の研究結果を筆頭著者として4編の論文にまとめることができました。研究室の仲間からは、「ブッシュ大統領（当時）が心房細動に悩まされていたため、ジャーナルの関心が高かったから採択されたに違いない」という冗談とともに祝福されたことを覚えています。

また帰国後は岩手医大で、心臓血管外科の先生方と心房細動の根治術と呼ばれるメイズ手術に関する研究にも加わることができました。メイズ手術であれなんであれ、除細動の成功率が高く洞調律に復帰する可能性の高い心房細動の特徴として、左房径が小さいこと、心電図の V_1 誘導のf波の電位が大きいこと、運動負荷による心拍数の応答がよいことが挙げられます。

第86問

重要度 ★☆☆☆　上級編

不完全右脚ブロックと左軸偏位だけではありません。難問です。

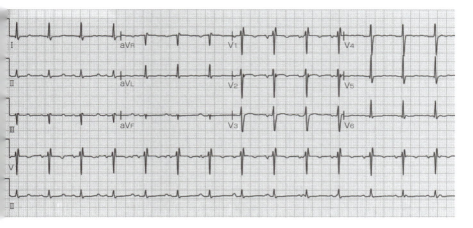

ヒント：下2段(特に最下段のⅡ誘導)の長時間記録のP波に注意してください。

第86問

解説

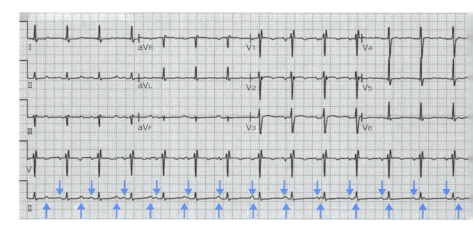

　レシピエント側の左右心房の一部を残して、ドナーの両心房を吻合する心臓移植(両心房法)後の心電図記録です。

　P波に↑と↓の2種類を認めることが特徴で、しかも↑で示したレシピエントの心房からのP波はQRSとは連結していません。一方、↓で示したドナーの心房からの小さなP波はQRSに先行しています。

第87問

重要度 ★★☆☆

上級編

気づくべき所見は？

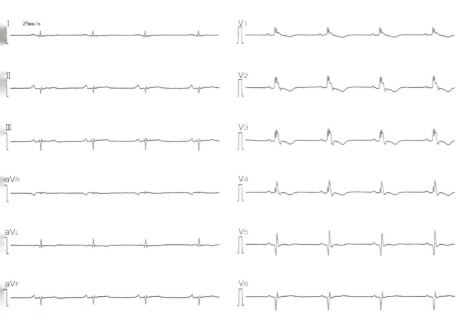

解答：催不整脈性右室心筋症（イプシロン波）

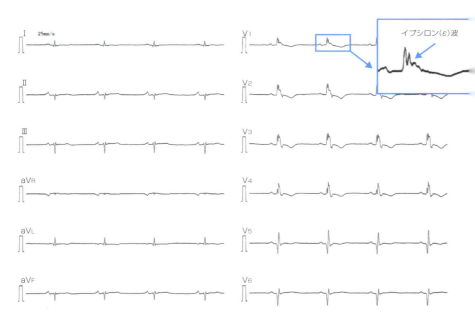

　催不整脈性右室心筋症（arrhythmogenic right ventricular cardiomyopathy：ARVC）は右室の脂肪変成と線維化を特徴として、右室起源の心室頻拍を呈する疾患です。

　心電図所見では V1、V2 の QRS 終末部から ST 部分にかけて、振幅の小さなノッチとしての遅延電位を認めます。これは、イプシロン波と呼ばれています。

第88問

重要度 ★★★★

上級編

不整脈の診断を問う問題です。

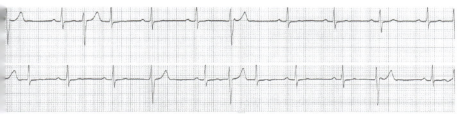

解答：副収縮（副調律）

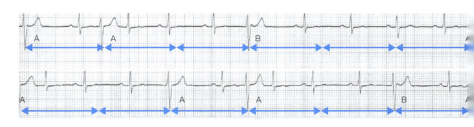

　AやBのQRSを見ると、一見、心室期外収縮かと診断しそうです。

　しかしこれらのQRSは、まず、先行する洞性脈との連結時間が一定ではなく、期外収縮とも補充収縮とも診断できません。

　さらにそのQRS波形の間隔は矢印（↔）で示したように約1.7秒、もしくはその整数倍とほぼ一定です。

　これらのことから、心臓は洞結節からの興奮刺激（洞調律のいわば主収縮）と別の刺激発生源（通常は心室）からの興奮刺激（副収縮）の2種類の支配を受けて収縮していると考えられます。これを副収縮（副調律）と呼びます。

　なお、AとBでは微妙に形が異なりますが（BではS波の後にやや上に突出したr'様の波形があります）、Bの波形は、Aの波形（副収縮）と洞調律の波形（主収縮）とが融合した収縮と考えられます。

チャレンジについて

初級から上級までの 88 問の手応えはいかがでしたか？
繰り返し解いていただくことで、判読能力は確実にアップしたはずです。

さて、ここからはチャレンジ問題として、中級レベル以上の 11 問が控えています。力試しとして、また判読知識の整理に活用いただければと考えています。

ただし、所見は一つだけではありません。実臨床の心電図は、1 問 1 答形式の問題集のようなわけにはいかず、多彩な所見に満ちています（複数所見の問題については 325 ページの姉妹書で本格的に扱っています）。
わずか 11 問ですが、内容は充実しています。培った知識を総動員して、判読を十分にお楽しみください。

第89問

重要度 ★★★★ チャレンジ

脈の不整は明らかですが……。

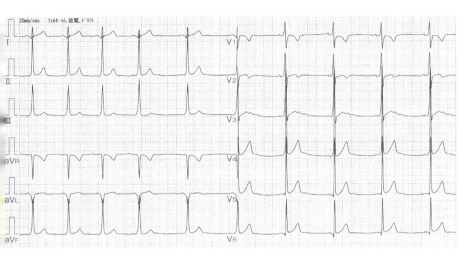

解答①:洞性不整脈

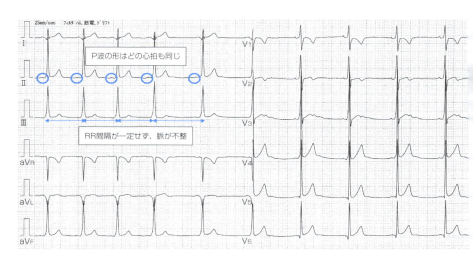

　脈の不整はまず目につく所見です。P波の形はどの心拍においても同じで、洞由来と考えられることから呼吸性の洞性不整脈と考えられます。
　詳しくは第20問をご参照ください。

解答②:WPW 症候群(A 型)

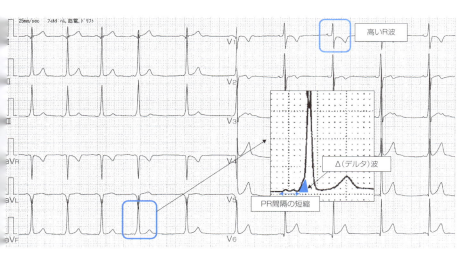

　PR の短縮と Δ(デルタ)波を見落としてはいけません。

　WPW 症候群の診断は難しくはありませんが、V₁ の高い R 波に着目して A 型(左室後壁に副伝導路)まで判読できれば大したものです。

　WPW 症候群については第 43〜45 問をご参照ください。

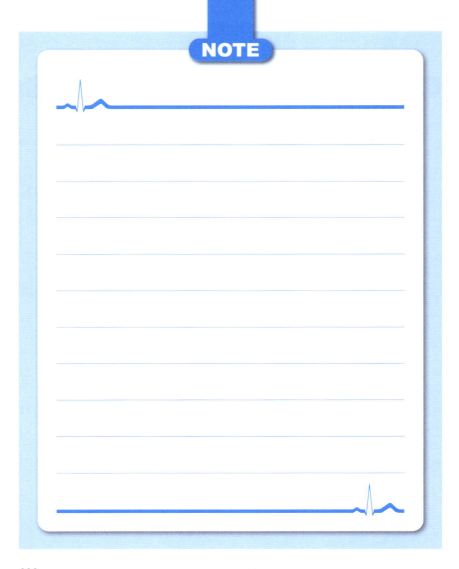

第90問

重要度 ★★★★ チャレンジ

脈の不整は明らかですが……。

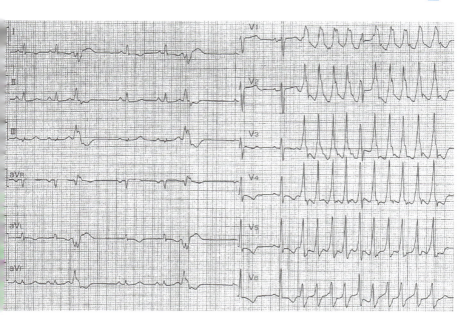

解答：①心室性3段脈、②発作性心室頻拍（融合収縮を伴う）

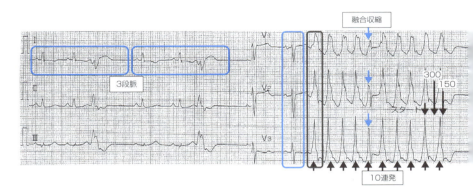

　肢誘導では、正常洞調律に心室性期外収縮を認め、しかも正常心拍2つに期外収縮1つが出現する3段脈でもあります。

　胸部誘導では突然に幅広のQRS波形の10連発（↑）を認め、その後、突然に停止しています。心拍数は150以上の頻脈であることから、発作性心室頻拍と診断できます。

　幅広のQRSの頻拍症は常に変行伝導した上室性頻拍症との鑑別が大切です。
　↓のQRSは、正常QRS（□）と心室頻拍時のQRS（□）との中間的な形をした融合収縮です。この所見は心室頻拍と確診するための重要なポイントです。
　詳しくは第74問をご参照ください。

第91問

重要度 ★★★★ チャレンジ

規則正しい整脈ですが……。

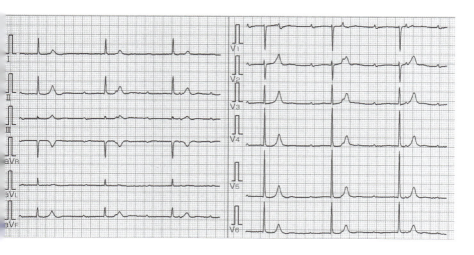

解答:①3度(完全房室)ブロック、②高電位差

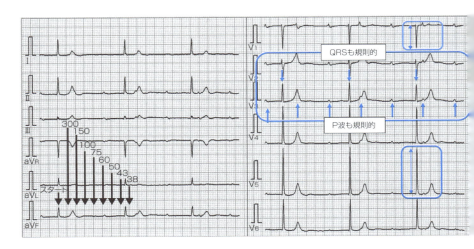

整脈ですが、300の法則では38〜43拍/分(厳密には40拍/分)の徐脈を認めます。

よく見ると、心房興奮(P波)と心室興奮(QRS波)はまったく無関係に、おのおのが規則正しく出現している3度(完全房室)ブロックの心電図です。3度房室ブロックに関しては第69問もご参照ください。

この不整脈とは直接の関係はありませんが、$SV_1+RV_5=1.2$ mV$+2.5$ mV$=3.7$ mVと、高電位差も呈しています。気づきましたか? 高電位差に関しては、第34問もご参照ください。

第92問

重要度 ★★★★ チャレンジ

胸痛で受診された患者さんの心電図です。

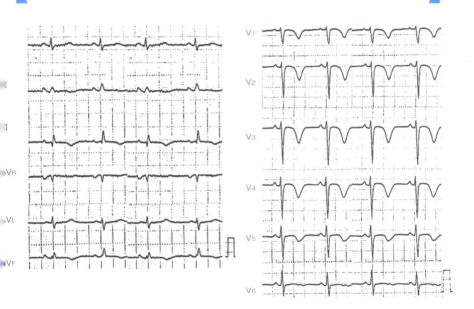

第92問

解答：①Ⅲ・aVF と前胸部誘導の陰性 T 波、②時計軸回転

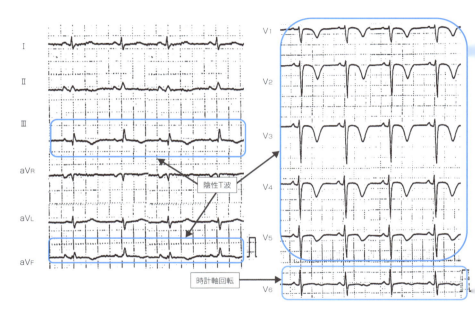

まず、V₁〜V₅ の前胸部誘導とⅢ・aVF 誘導に陰性 T 波を認めます。また、移行帯は V₆ で、著明な時計軸回転を呈しています。

解答：③ Ⅰ誘導のS波、④ Ⅲ誘導のQ波と陰性T波

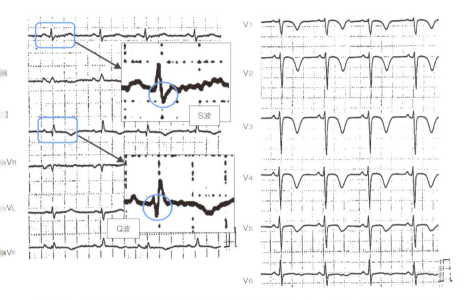

　さらに、Ⅰ誘導にS波とⅢ誘導にQ波を認めています。これは、「IS, ⅢQ」、または前ページで確認したⅢ誘導の陰性T波も加えて、「IS, ⅢQ, ⅢT」とよばれる所見で、急性の肺血栓塞栓症を疑います。

　肺血栓塞栓症は生命に関わる疾患なので、胸痛を主訴にした患者さんの心電図で、前胸部誘導の陰性T波（右心系の負荷の反映）と時計軸回転、および「IS, ⅢQ,（ⅢT）」を確認すれば、肺血栓塞栓症を考えてください。

COLUMN

定年

　国公私立の3つの大学とナショナルセンターで職を得て、留学生活も経験できた中で、2021年に定年を迎えられることに心から感謝しています。

　最初の和歌山医大では、故増山善明先生から「1例1例を大切に」診療することを厳しく教えられ、右も左もわからなかったやんちゃ坊主を「医師」にしていただきました。

　国立循環器病センターでは、優秀なスタッフと最新の機器、そして多くの症例に恵まれて、循環器診療の専門的スキルを身に付けることができました。引き続き岩手医大でも平盛勝彦先生の厳しいご指導の下、「循環器専門医」に育てていただきました。

　京都大学では、才能豊かなスタッフと仕事をする中で、要求水準の高い成果物を求められてきました。世界を相手に仕事をすることの厳しさと楽しさを教えられました。中尾一和先生には、なんとか「研究者」の端くれ程度には認めていただけたでしょうか。

　留学先でご指導頂いた Froelicher 先生や、出会った多くの研究者といまだに交流があるのも嬉しいかぎりです。

　何よりもありがたいことは、これらの活動成果や経験を著書や論文などの著作物として残せることにあります。定年といえども、今しばらくは「生涯、一臨床医」として、さらなる経験を積み、さらなる情報発信に努めていきたいと思っています。

第93問

重要度 ★★★☆ チャレンジ

胸痛で受診された患者さんの心電図です。

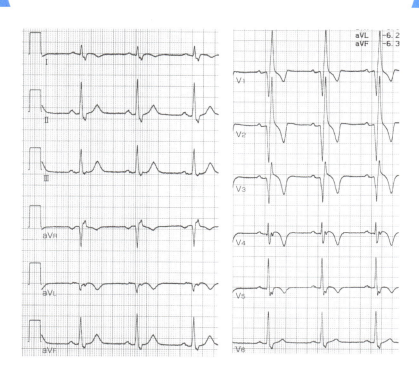

解答：①完全右脚ブロック、②前壁中隔梗塞（陳旧性）

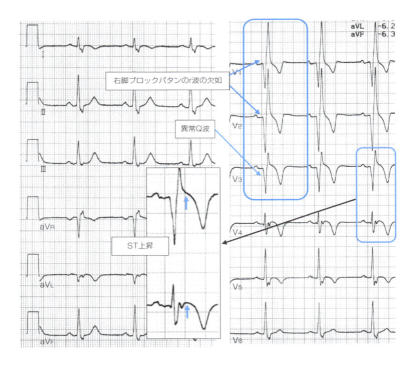

　V₁、V₂誘導はrSR'の右脚ブロックパタン様ですが、最初のr波がはっきりしません。

　よく見ると、V₃誘導では異常Q波を認めます。さらに、V₃・V₄誘導ではST部分がいくぶん上昇していることにも気づいたでしょうか？

　完全右脚ブロックに前壁中隔梗塞が合併し、V₁・V₂のr波が削られた心電図と考えられます。

重要度 ★★★☆　チャレンジ

基本に忠実な判読が必要です。

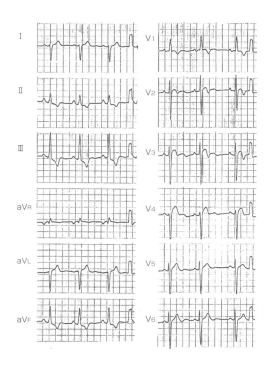

解答：①右軸偏位、②不明確な移行帯

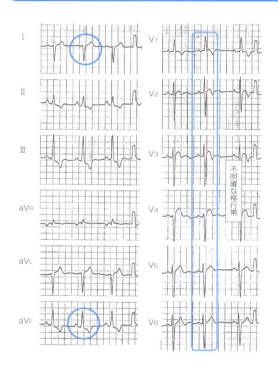

まず、I 誘導の QRS 成分は陰性部分が強く（ちなみに P 波は陽性で、電極の付け間違いはありません）、aVF 誘導の R 波は陽性で上向き成分が強いため、強い右軸偏位を呈しています。

次に胸部誘導では、通常とは逆に V1 誘導から左側胸部誘導に移行するに伴い R 波高が減高しており、移行帯を明確に示すことができません。

電気軸や移行帯の評価は怠りがちになりますが、重要な所見を見落とさないように、基本に忠実な判読を心掛けてください。

解答:③陰性T波(V₁およびⅡ・Ⅲ・aV_F)、④V₁のR/S比>1

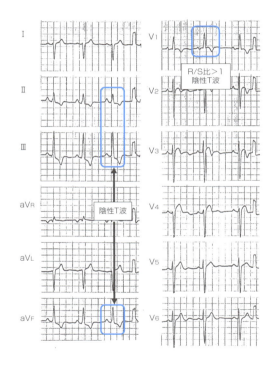

さらにⅡ・Ⅲ・aV_FとV₁誘導のT波が陰性化しており、V₁誘導ではR/S比が1を上回っています。

右脚ブロック以外でV₁のR/S比が1以上になる病態としては、右室肥大と後壁梗塞が考えられます(後壁梗塞については第81問をご参照ください。本設問とは異なり、左軸偏位傾向とV₁の陽性T波を認めています)。

この心電図ではすでに右軸偏位とV₁およびⅡ・Ⅲ・aV_Fの陰性T波を確認していますが、これらの所見は右心系の負荷を反映し、右室肥大の存在を支持する所見と考えられます。

なお、この心電図は、52歳の男性で肺動脈弁狭窄症の患者さんの心電図でした。

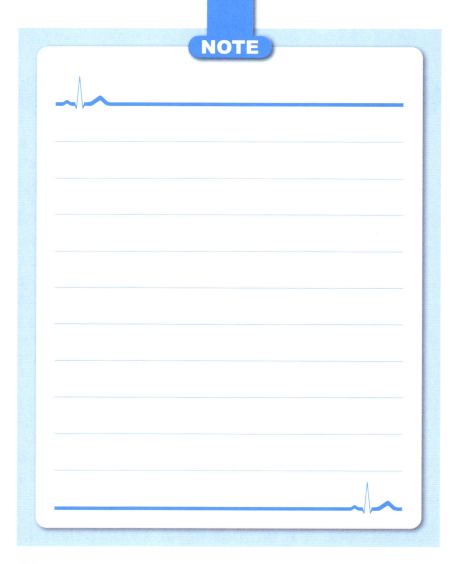

第95問

重要度 ★★★★ チャレンジ

気づきにくい所見もありますが……。

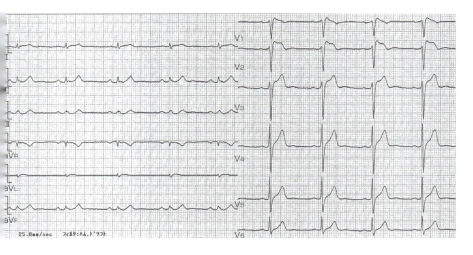

解答：①ブルガダ型心電図（coved 型）、②低電位差（肢誘導）

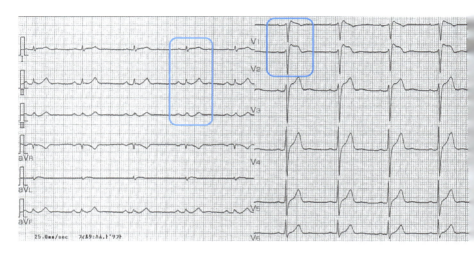

　V₁・V₂ 誘導で、不完全右脚ブロックパタンの後に上昇した ST 部分が、急峻に右斜めに下降して陰性 T 波に移行する coved（渓谷）型のブルガダ型心電図が確認されます。ブルガダ型心電図については本書の第 28・29 問をご参照ください。

　また、標準肢誘導（Ⅰ、Ⅱ、Ⅲ）に 0.5 mV 以下の低電位差を認めます（詳細は第 36 問をご参照ください）。ブルガダ型心電図とは関連のない単なる偶発と考えますが、1 枚の心電図から細大漏らさず所見をピックアップする習慣は大切です。

第96問

重要度 ★★★★ チャレンジ

一見して感じる違和感は重要です。

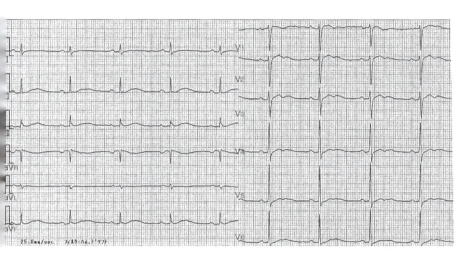

解答：1) 平定 T 波（V5 誘導）、2) QT 間隔の延長

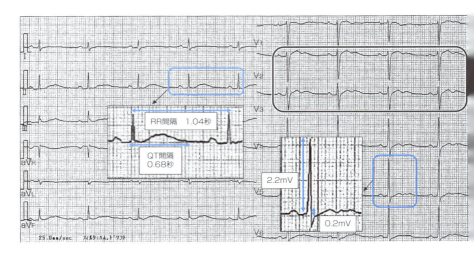

　基線が大きく動揺しているように見えます。これは T 波の平定化と、QT 間隔の延長によるものです。T 波高が R 波高の 1/10 以下のときに平定 T 波とよび、この記録では V5 誘導が相当します。

　また、QT 間隔は 0.68 秒（目盛り 17 個）で、RR は 1.04 秒（目盛り 26 個）なので、QTc 間隔は 0.67 秒と著明な延長を認めています（QTc の詳細は第 71 問をご参照ください）。

　なお、V2・V3 誘導では、二峰性の T 波か、U 波が際立っているのか区別がつきません。このような時に、T-U 複合体と呼ぶことがあります。

第97問

重要度 ★★★☆ チャレンジ

多彩な所見にどこまで気付けるでしょうか？

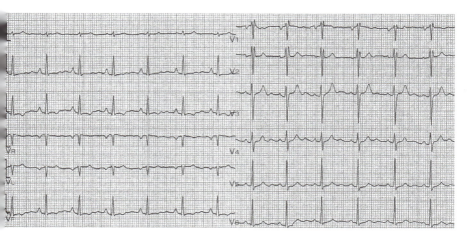

解答:①不完全右脚ブロック、②左房拡大、③右房拡大

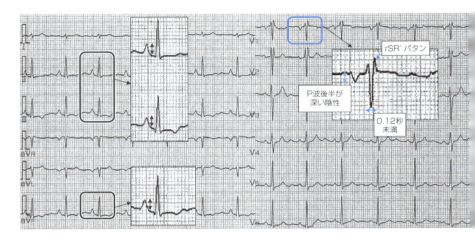

　まず、V₁ 誘導は rSR' パタンで、QRS 幅は 0.12 秒未満と狭く、不完全右脚ブロックの所見です。

　さらに V₁ 誘導で、P 波の後半が陰性で前半の陽性成分に比して不釣合いに深く、左房拡大の所見も認めます。詳しくは第 76 問をご参照ください。

　一方、Ⅱ・Ⅲ・aV_F 誘導の P 波は尖鋭化しています。この時、0.25 mV 以上の波高があれば、右房拡大と判定します。この心電図では、ギリギリでこの基準を満たしているように思います。

第98問

重要度 ★★★☆　チャレンジ

脈の不整は明らかですが……。

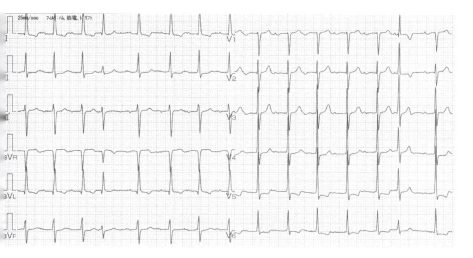

解答:①変行伝導を伴う上室期外収縮

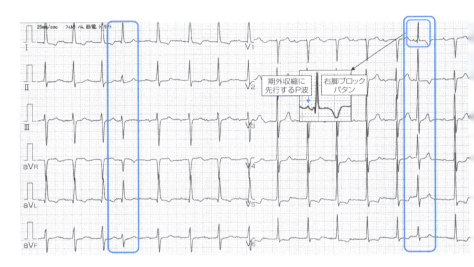

　肢誘導・胸部誘導で期外収縮を認めます。先行する正常 QRS とは QRS 波形が異なるため、まずは心室期外収縮を疑いたいところです。

　しかし、よく見ると P 波が先行していることと、V_1 誘導では右脚ブロックパタンをとっていることから、変行伝導を伴う上室期外収縮であると考えられます。詳細は第 50 問を参照してください。

解答：②左室肥大、③1度房室ブロック

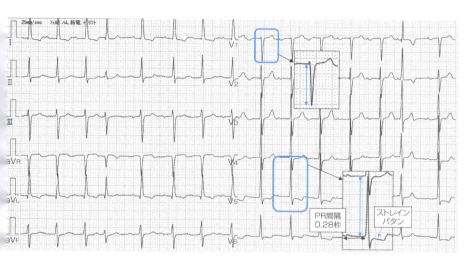

　所見はそれだけにはとどまりません。$SV_1+RV_5=1.3\ mV+2.5\ mV=3.8\ mV$ と、高電位差を呈しており、しかもストレインパタンのST低下を伴っているので、左室肥大の所見と考えます。左室肥大の詳細は第32・33問もご参照してください。

　最後に、PR間隔の延長（0.28秒）に気付きましたか？これは1度房室ブロックの所見です。1・2度房室ブロックに関しては第66〜68問をご参照ください。

特別な呼称のP波

　第97問では、Ⅱ、Ⅲ、aVF誘導の尖鋭化して0.25mV以上増高するP波を、右房拡大の所見として掲げました。

　これは右房に圧や容量の負荷が加わると右房が拡大を来し、起電力が増してP波の振幅（電位）が大きくなったものです。右房が拡大すると起電力だけでなく、興奮時間も増大（延長）します。しかし、右房は左房よりも早く興奮し、早く興奮を終えるため、右房の興奮時間は左房の興奮時間を超えることはありません。したがってP波全体としての幅は正常範囲にとどまり、波高だけが増高するので先鋭化した印象を与えます。

　このようなP波は右房に負荷を来す疾患で認められますが、呼吸器疾患が原疾患としてポピュラーなため、肺性P波とよばれています。

　一方、左房は右房より遅れて興奮するため、左房負荷時に左房が拡大して左房の興奮時間が延長すると、全体としてのP波の幅は広くなります。第76問の左房負荷時のP波も、Ⅱ誘導で幅の広い二峰性を示しています。このようなP波は左房に負荷を来す疾患で認められますが、僧帽弁疾患が原疾患としてポピュラーなため、僧房性P波とよばれています。

第99問

重要度 ★★★★ チャレンジ

不整脈以外に、けっして見逃してはいけない所見があります。

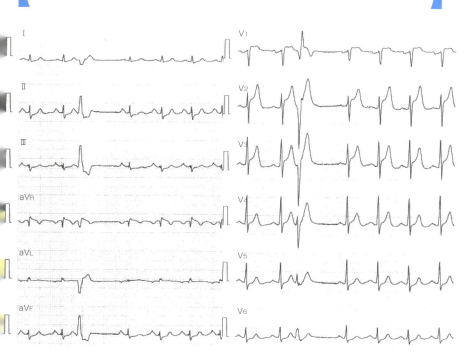

解答：①心室期外収縮

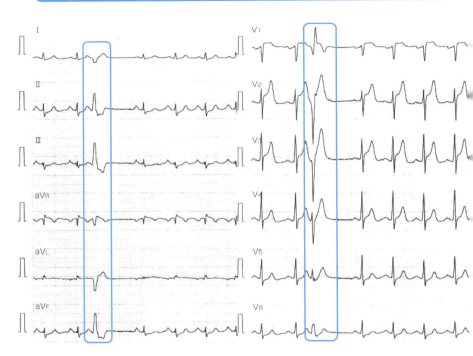

　肢誘導・胸部誘導でQRS幅の広い期外収縮を認めます。変行伝導を伴う上室期外収縮との鑑別が問題ですが、期外収縮に先行するP波も認めず、一応心室期外収縮としてよさそうです。

解答：②ST上昇（V₁〜V₃）、③ST低下（Ⅱ・Ⅲ・aV_F：鏡像現象）

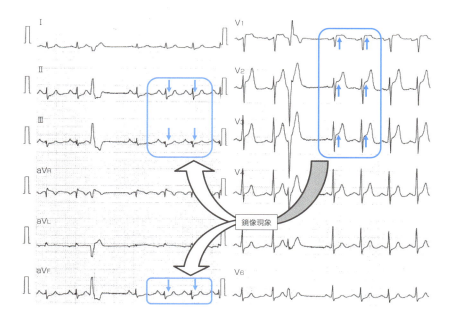

　さらに、V₁〜V₃誘導にST上昇を認めます（↑）。ST上昇は貫壁性の強い虚血を反映するので、見落としてはいけない重要な所見です。通常、前胸部誘導のST上昇は左側胸部誘導の上昇に比べて上昇の程度が小さく、見落とされがちですので注意が必要です。

　さらに、Ⅱ・Ⅲ・aV_F誘導でST低下を認めます（↓）。これは前胸部誘導のST上昇の鏡像現象と考えます。
　鏡像現象については第81問を参照してください。

図の転載元一覧

上嶋健治,著.ビギナーのための心電図便利帳:エキスパートも使える完全マスターへの1冊.大阪:最新医学社,2016.

本書での問題番号	転載元
初級第07問	p. 179. 問題3
初級第15問	p. 107. 図10-8
初級第16問	p. 114. 図11-1
中級第21問	p. 31. 図3-8
中級第21問参考図	p. 31. 図3-5
中級第25問参考図	p. 27. 図3-1
中級第29問	p. 60. 図6-14
中級第31問	p. 54. 図6-5
中級第33問参考図	p. 145. 図14-13
中級第38問	p. 136. 図14-2
中級第39問	p. 141. 図14-8
中級第39問参考図	p. 138. 図14-3
中級第39問表	p. 137. 表14-1
中級第41問	p. 140. 図14-6
中級第43問参考図	p. 121. 図12-1
中級第44問	p. 123. 図12-2B
中級第45問	p. 123. 図12-2C
中級第55問	p. 70. 図7-8
中級第56問	p. 85. 図8-6A
中級第59問	p. 114. 図11-2
中級第60問参考図1	p. 119. 図11-7-1
中級第60問参考図2	p. 119. 図11-7-2
中級第63問	p. 98. 図9-9
中級第67問	p. 104. 図10-5
中級第70問表	p. 110. 表10-2
上級第79問	p. 155. 図15-8
上級第79問参考図	p. 154. 図15-6
上級第81問	p. 143. 図14-10
上級第82問	p. 143. 図14-11
上級第88問	p. 75. 図7-13
チャレンジ第90問	p. 196. 問題5
チャレンジ第93問	p. 140. 図14-7

上嶋健治,著.運動負荷試験Q&A119,改訂第2版.東京:南江堂,2013.

本書での問題番号	転載元
初級第03問	p. 40. 図14
初級第04問	p. 40. 図14
初級第05問	p. 40. 図14
中級第37問参考図	p. 50. 図21
中級第62問	p. 67. 図32
中級第62問参考図	p. 65. 図30
上級第76問参考図	p. 45. 図17
上級第84問	p. 64. 図29
上級第84問参考図	p. 71. 図34

市田　聡, 著. 心臓病看護教育研究会, 編. ハート先生の心電図読本. 東京：医学同人社, 2016.
本書での問題番号　　　転載元
p. 10. コラム　　　p. 43.

市田　聡, 代表. ハート先生の心電図教室 ONLINE. URL：http://www.cardiac.jp/
本書での問題番号　　　転載元
初級第 07 問参考図　「アーチファクト」
　URL：http://www.cardiac.jp/view.php?lang=ja&target=artifact.xml
初級第 12 問参考図左　「12 誘導心電図の捉え方」
　URL：http://www.cardiac.jp/view.php?lang=ja&target=ecg_style.xml
初級第 13 問参考図　「基本心電図波形」
　URL：http://www.cardiac.jp/view.php?lang=ja&target=normal_ecg_pattern.xml
中級第 44 問参考図　「WPW 症候群」
　URL：http://www.cardiac.jp/view.php?target=wpw_synd.xml
中級第 55 問参考図　「心室期外収縮の危険度」
　URL：http://www.cardiac.jp/view.php?lang=ja&target=pvc3.xml
中級第 64 問参考図　「洞不全症候群」
　URL：http://www.cardiac.jp/view.php?lang=ja&target=sick_sinus.xml

市田　聡. ハート先生のブログ. URL：http://blogs.yahoo.co.jp/soyashi
本書での問題番号　　　転載元
初級第 12 問参考図右　「右側胸部誘導の撮り方（その他の病気）」
　URL：http://blogs.yahoo.co.jp/soyashi/53325946.html

Wikimedia Commons. URL：https://commons.wikimedia.org/wiki/Main_Page
本書での問題番号　　　転載元
上級第 86 問　　　File：Orthotopic Heart Transplant.png
URL：https://commons.wikimedia.org/wiki/File：Orthotopic_Heart_Transplant.png

索　引

欧文

AED　224
Bazett の補正式　234
COPD　73
coved 型　97
F 波　198
f 波　198
James 束　152
J 点　121
J 波　125
Kent 束　144, 149
LGL 症候群　152
Lown 分類　185
Mason-Likar 誘導法　276
Mobitz Ⅰ型　220
Mobitz Ⅱ型　222, 223
PQ 短縮　141
QT 延長　235, 310
QT 延長症候群　234
R on T　185, 186
Rubenstein 分類　213
saddle-back 型　93
Sokolov-Lyon　105
ST 上昇　128, 207
ST 低下　120, 121
Wenkebach 型　220
ＷＰＷ症候群　140, 144, 148, 150, 246, 291

和文

あ

アーチファクト　20, 22, 68
移行帯　30, 50
異常 Q 波　133
異所性上室調律　216
1 度房室ブロック　90, 218, 315
移動性ペースメーカ　260
イプシロン波　284
陰性 U 波　274
右脚ブロック　78
右胸心　34, 279
右室梗塞　267
右室肥大　114, 305
右側胸部誘導　38
右房拡大　312

か

冠静脈洞調律　216
冠性 T 波　109, 132
完全右脚ブロック　78
完全左脚ブロック　100
間入性期外収縮　178, 179
期外収縮　170
休止期　179
鏡像現象　263, 319
胸部誘導　38
筋電図　14
高 K 血症　256, 257
高電位差　112, 296
高度房室ブロック　223
後壁梗塞　130, 263

さ

催不整脈性右室心筋症　284
左脚後枝ブロック　86
左脚前枝ブロック　84
左脚前肢ブロック　76
左脚ブロック　100
左室肥大　104, 105, 108, 112, 315
左房拡大　312
3 束ブロック　87
3 段脈　175
3 度房室ブロック　226, 296
300 の法則　40, 44, 48
上室期外収縮　156, 158, 159, 163, 167, 168, 175
上室頻拍　242
上室頻拍症　189
小児心電図　56
徐脈頻脈症候群　213
心筋炎　254, 270
心筋梗塞　129, 207
心室期外収縮　168, 172, 174, 184, 318
心室細動　210
心室頻拍　204, 210, 242, 294
心臓移植　282
心房細動　192, 194, 196
心房粗動　198, 199, 200
心房内性回帰　189
ストレインパタン　109
スポーツ心臓　60
正弦（サイン）波　256

早期興奮症候群　153
早期再分極　124
相対不応期　167
僧帽性P波　248

た
代償性期外収縮　179
多形性心室頻拍　202
単形性心室頻拍　202
段脈　182
低Ca血症　235
低K血症　234
低Mg血症　234
低電位差　116, 117
デルタ波　141
電解質異常　234, 254
電気軸　28, 46
テント状T波　257
洞機能不全症候群　213
洞結節性回帰　189
倒錯型心室頻拍　206
洞性徐脈　63
洞性頻脈　54
洞性不整脈　290
洞停止　213
洞房ブロック　213
時計軸回転　50, 55
ドリフト　16, 18

な
2束ブロック　84, 222
2段脈　174, 175
2度房室ブロック　220
ノイズ　12

は
肺血栓塞栓症　299
歯磨きVT　22
ハム　12
反時計軸回転　50
不完全右脚ブロック　78, 80
不完全左脚ブロック　102
副収縮　286
ブルガダ型心電図　92, 97, 308
ペースメーカ　228, 229, 240
変行伝導　168, 169, 314
房室結節性回帰　189
房室性回帰　189
房室接合部調律　216

ま
マグネシウム　244

や
薬物中毒　254
融合収縮　243, 294
陽性U波　275

ら
リエントリー　190
連結期　179
連発　182
漏斗胸　252

URL http://www.kokuseido.co.jp

姉妹書のご案内

● 『学習編』 ●

心電図のどこを見たらいいのかわからない……
その悩み、解決します！

スキ間で極意・学習編!!
心電図プロの見方が面白いほど見える本

上嶋健治／著

ISBN978-4-7719-0514-6
B5判　190頁　定価（本体5,600円＋税）

**問題を解くだけでなく、じっくりと勉強をしたい。
そう感じたら、この1冊!!**

113-0033 東京都文京区本郷3-23-5 　克誠堂出版　Tel. 03-3811-0995　Fax. 03-3813-1866

姉妹書のご案内

● 『問題編』第2弾 ●

基礎は身につけたはずなのに見落としがなくならない？

そんなあなたには
所見(こたえ)が複数の心電図を！

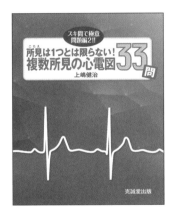

スキ間で極意・問題編2 !!
所見(こたえ)は1つとは限らない！複数所見の心電図33問

上嶋健治／著

ISBN978-4-7719-0528-3
B6変形判　225頁　定価（本体3,300円＋税）

より実践に近い問題集。
さらなるスキルアップを目指そう！！

113-0033　東京都文京区本郷 3-23-5　克誠堂出版　Tel. 03-3811-0995　Fax. 03-3813-1866

スキ間で極意!!
いつでもどこでも心電図判読 88 ＋ 11 問［増訂版］＜検印省略＞

2017 年 3 月 10 日　初版第 1 刷発行
2020 年 7 月 28 日　増訂版第 1 刷発行　※増訂に伴い改題

定価（本体 3,980 円＋税）

　　著　者　上　嶋　健　治
　　発行者　今　井　　　良
　　発行所　克誠堂出版株式会社
　　〒 113-0033　東京都文京区本郷 3-23-5-202
　　電話　(03)3811-0995　振替 00180-0-196804
　　URL　http://www.kokuseido.co.jp

ISBN 978-4-7719-0537-5 C3047　¥3980E　　印刷　三報社印刷株式会社
Printed in Japan ©Kenji Ueshima, 2020

- 本書の複製権・翻訳権・上映権・譲渡権・公衆送信権（送信可能化権を含む）は克誠堂出版株式会社が保有します。
- 本書を無断で複製する行為（複写，スキャン，デジタルデータ化など）は，「私的使用のための複製」など著作権法上の限られた例外を除き禁じられています。大学，病院，診療所，企業などにおいて，業務上使用する目的（診療，研究活動を含む）で上記の行為を行うことは，その使用範囲が内部的であっても，私的使用には該当せず，違法です。また私的使用に該当する場合であっても，代行業者等の第三者に依頼して上記の行為を行うことは違法となります。
- JCOPY ＜(社)出版者著作権管理機構　委託出版物＞
本書の無断複写は著作権法上での例外を除き禁じられています。複写される場合は，そのつど事前に(社)出版者著作権管理機構（電話 03-5244-5088, Fax 03-5244-5089, e-mail：info@jcopy.or.jp）の許諾を得てください。